Renaissance L
Drama in Engl

Renaissance Latin Drama in England

General Editors
Marvin Spevack · J. W. Binns
Hans-Jürgen Weckermann

Second Series

7

1988
Georg Olms Verlag
Hildesheim · Zürich · New York

John Christopherson

IEPHTE

William Goldingham

HERODES

Prepared with an Introduction
by
Christopher Upton

1988
Georg Olms Verlag
Hildesheim · Zürich · New York

Acknowledgement

Iephte is reproduced by permission of the Bodleian Library, Oxford. *Herodes* is reproduced by permission of the Syndics of Cambridge University Library.

Printed in Germany
Herstellung: Weihert-Druck GmbH, Darmstadt
ISBN 3 487 07859 7

RENAISSANCE LATIN DRAMA IN ENGLAND

Prefatory Remarks

About 150 Latin plays written by Englishmen in the Renaissance survive today, mainly from the hundred years from 1550-1650 which witnessed the greatest and most flourishing period of drama in England. Although the vernacular drama of the age has been intensively studied, the sizeable corpus of Latin plays that exists alongside it has remained almost unknown.

Yet there are many points of contact between the popular and learned drama (as for that matter between works in English and the considerable body of literature in Latin). Lyly and Peele assisted with the production of Latin plays at Oxford, and not only they but other "University Wits," such as Greene, Nashe and Marlowe, would have had the chance to see University plays acted whilst, at a formative stage in their lives, they were at University. Both Queen Elizabeth and King James were patrons of the Latin drama, and paid ceremonial visits to the Universities when plays were performed in their honour in a sumptuous and splendid fashion. Other aristocrats and men of fashion and learning in attendance on the monarch, like the Earl of Leicester and Sir Philip Sidney, were also present on certain of these occasions. And many other well-known literary figures had a connection with academic Latin drama: Robert Burton, the author of *The Anatomy of Melancholy*, wrote a Latin play, whilst Nicholas Grimald, a major contributor to *Tottel's Miscellany*, wrote several. Gabriel Harvey was satirised in a Latin play, Andrew Marvell acted in one, John Milton condemned such acting. The writers of the Latin plays themselves often achieved a reputation which reached beyond the bounds of the University. Some of them are named in Francis Meres's famous lists of "our best for Tragedie" and "the best for Comedy amongst us" in the *Palladis Tamia* of 1598.

Although the Latin drama of the age is on the whole the product of University men, who for a variety of reasons wrote and performed plays which were acted at the Universities, it is obviously of considerable importance for literary and dramatic history. Not surprisingly the plays reflect the variety of the time. There are long chronicle plays, revenge plays that are often violent and lurid, biblical dramas, serious tragedies, intricate Italianate comedies, popular plays depicting events from everyday life,

Roman plays, tragi-comedies, pastoral plays–indeed virtually every conceivable type of play that is found in the vernacular drama of the Renaissance has its counterpart or is indeed often foreshadowed and anticipated by the Latin drama of the age. It provides as well valuable information about contemporary dramatic theory and dramaturgy in the form of plot summaries, letters from an author to his patron explaining his intentions in writing the play, letters to the reader setting out his sources or critical principles, elaborate stage directions, and lists of actors. It is in fact possible to build up a detailed account of the conditions of performance of some of these plays not only from the information given by the play manuscripts and printed texts themselves but also from contemporary accounts, allusions, and records of performances. The productions, it may thus be reconstructed, were spectacular and expensive, costumes were sometimes loaned by the Revels Office. Music and dancing figured prominently; the *deus ex machina* and other stage devices were used. There might be a curtained inner stage or balcony. Performances, which were sometimes lengthy and went on until late into the night, were well attended not only by members of the Universities but also by townspeople and their wives. And to the literary, dramatic, and theatrical information to be derived from a study of these plays and the circumstances of their production must be added the useful details they yield for the history of the Colleges and Universities in which they were performed, as well as the general educational and cultural scene which they help illustrate.

Selected Bibliography

Alton, R. E. (ed.). "The Academic Drama in Oxford: Extracts from the Records of Four Colleges." *Malone Society Collections*, 5 (Oxford, 1959), 29-95.

Bentley, Gerald E. *The Jacobean and Caroline Stage*. 7 vols. Oxford, 1941-68.

Binns, J. W. "Seneca and Neo-Latin Tragedy in England." *Seneca*. Ed. C. D. N. Costa. London, 1974. Pp. 205-34.

Blackburn, Ruth H. *Biblical Drama under the Tudors*. The Hague/Paris, 1971.

Boas, Frederick S. "University Plays." *The Cambridge History of English Literature*. Ed. A. W. Ward and A. R. Waller. Cambridge, 1910. VI, 293-327.

Boas, Frederick S. *University Drama in the Tudor Age*. Oxford, 1914.

Bradner, Leicester. "The First Cambridge Production of *Miles Gloriosus*." *MLN*, 70 (1955), 400-3.

Bradner, Leicester. "The Latin Drama of the Renaissance, ca. 1340-1640." *Studies in the Renaissance*, 4 (1957), 31-70.

Brooke, C. F. Tucker. "Latin Drama in Renaissance England." *ELH*, 13 (1946), 233-40.

Campbell, Lily B. *Divine Poetry and Drama in Sixteenth Century England*. Cambridge/Berkeley, 1959.

Chambers, Edmund K. *The Elizabethan Stage*. 4 vols. Oxford, 1923.

Churchill, George B., and Wolfgang Keller. "Die lateinischen Universitäts-Dramen Englands in der Zeit der Königin Elisabeth." *ShJ*, 34 (1898), 221-323.

Dewey, Nicholas. "The Academic Drama of the Early Stuart Period (1603-1642): A Checklist of Secondary Sources." *Research Opportunities in Renaissance Drama*, 12 (1969), 33-42.

Greenwood, David. "The Staging of Neo-Latin Plays in Sixteenth Century England." *Educational Theatre Journal*, 16 (1964), 311-23.

Harbage, Alfred. "A Census of Anglo-Latin Plays." *PMLA*, 53 (1938), 624-9.

Herford, Charles H. *Studies in the Literary Relations of England and Germany in the Sixteenth Century*. Cambridge, 1886.

Kantrowitz, J. S. "Oxford Additions to Bradner's List of Neo-Latin Drama." *Neo-Latin-News*, 19 (1971), 54, N-27 [in *Seventeenth-Century News*, 29 (1971)].

Mills, L. J. "The Acting in University Comedy of Early Seventeenth-Century England." *Studies in the English Renaissance Drama: In Memory of Karl Julius Holzknecht*. Ed. Josephine W. Bennett, Oscar Cargill, and Vernon Hall, Jr. New York, 1959. Pp. 212-30.

Morgan, Louise B. "The Latin University Drama. By Way of Supplement to the Article by George B. Churchill and Wolfgang Keller in Jahrbuch 34." *ShJ*, 47 (1911), 69-91.

Motter, T. H. Vail. *The School Drama in England*. London, 1929.

Smith, G. C. Moore. *College Plays Performed in the University of Cambridge*. Cambridge, 1923.

Stratman, Carl Joseph. "Dramatic Performances at Oxford and Cambridge, 1603-1642." Diss. Urbana, Ill., 1947.

Vienken, Heinz J. "Academic Drama at Oxford, 1603-1642." *George Wilde: Eumorphus sive Cupido Adultus*. Munich, 1973. Pp. 6-39.

Watson, George (ed.). "University Plays (1500-1642)." *The New Cambridge Bibliography of English Literature*. Cambridge, 1974. I, 1761-80.

M. S.   J. W. B.

JOHN CHRISTOPHERSON

John Christopherson, author of *Tragoedia Iephte*, was born at Ulverton in Lancashire and educated at Pembroke Hall and St. John's College, Cambridge, graduating B.A. in 1540/1. Crucially, he was elected to a fellowship at St. John's in 1542 and held it until becoming one of the original Fellows of Trinity in 1546. The large number of academics transferred from St. John's to the prestigious new foundation reflects the preeminence of the former in contemporary England. St. John's was particularly prominent as a centre of Greek studies and boasted a considerable number of Greek scholars; Roger Ascham, John Cheke, William Cecil, Thomas Smith, John Dee, and Thomas Bodley were all contemporaries of Christopherson. So too were Robert Pember, who wrote complimentary verses in Greek and Latin for the *Iephte*, and Nicholas Carr, later of Trinity, who succeeded Cheke as Regius Professor of Greek. Soon after his appointment to Trinity, Christopherson left Cambridge for the Continent, probably because of the change in the religious climate after the accession of Edward VI, returning in 1553. His spell abroad was a profitable one for his academic work but probably reinforced an incipient religious conservatism which was later to prove his downfall.

The period of Mary's reign marked the zenith of Christopherson's career. Appointed Master of Trinity College in 1553, he succeeded the Protestant William Bill, who in turn resumed the position on Elizabeth's accession. In the aftermath of Wyatt's insurrection, Christopherson published *An Exhortation to all menne to take hede & beware of Rebellion* (London, 1554), his only vernacular work and one which gives some indication of the development of his political and religious position. Christopherson argues that loyalty to one's sovereign is of paramount importance and shows hostility towards the Lutheran heresy for its subversive implications. Accordingly, he was actively involved in the suppression of Protestantism during the 1550s and earned a posthumous reputation for intolerance. His rise to ecclesiastical high office at this time was swift: Dean of Norwich in 1554, Bishop of Chichester in 1557. However, after the accession of Elizabeth, his decline was equally precipitous. Imprisoned in December 1558 for a sermon criticising the new settlement, he died later that month and was buried in Trinity chapel.

Ironically, it was a sermon by William Bill that provoked Christopherson's unwise reply at St. Paul's Cross.

Iephte

John Christopherson's *Iephte* survives in both a Greek and a Latin version. Of the former, two manuscripts are extant at Trinity College, Cambridge (MS. 0.1.37) and St. John's College, Cambridge (MS. 287.H.19); the latter survives by virtue of one copy in the Bodleian (MS. Tanner 466). To each copy is attached a separate dedication in Latin prose. The two Greek texts are dedicated to William Parr and Cuthbert Tunstall respectively; the Latin version to Henry VIII.

A *terminus a quo* for the play's composition is provided by the dedication of the Trinity copy to Parr as Earl of Essex. Parr was created Earl on 23 December 1543. The *terminus ad quem* is marked by the death of King Henry, recipient of the Bodleian dedication, in January 1547. Christopherson explains to the King that the tragedy was composed first in Greek and then for wider comprehension (f. 3^{r}) translated into Latin, but to date the two versions more precisely within this three-year span is more difficult. Boas believed that references to Henry's campaigns against Scotland and France suggest the year 1544 for composition, arguing that to mention these in the following year, when the King suffered reverses, would be inappropriate (*University Drama*, p. 47). Certainly the tone of the prefatory verses which draw out the moral implications of the play is optimistic:

> Rex noster edomat Scotos foedifragos,
> Sic insolẽtes comprimit Gallos manu
> Dei potentis. (f. 5^{v})

However, the prose dedications are far more circumspective, advocating courage in adversity as well as modesty in success. Indeed, the first lesson drawn from the play in the address to Henry is "de iniuria moderate toleranda" (f. 3^{r}), a paraphrase of the conditional "si quis aliqua afficiatur iniuria" from the dedication to Essex.

The preface to Henry does include a further indication of the date. Christopherson reminds the King: "saepius ad tuã Celsitudinem Graecae lecturae, Cantabrigiensis petendae caussa supplex quidẽ accessi, hactenus tamẽ ea res minimè translata est" (f. 4r). The reference is to the vacant chair of Greek, created in 1540 and first occupied by John Cheke, for which Christopherson is clearly campaigning. It would appear that Cheke was forced to resign the post when he was appointed tutor to the young Prince Edward in July 1544. The evidence of Christopherson's interest in the Greek chair, here presented for the first time, must make us suspect that the composition of a play in Greek was made chiefly with that end in view. When subsequently translating the play into Latin, Christopherson remained remarkably faithful to the Greek original. Even the metrical forms of the Greek choral passages are exactly reproduced.

Finally, in the preface there should be noted Christopherson's use of the phrase "doctrinã Papisticã" (f. 4r) and other critical comments on the Church of Rome, both here and in the address to Essex. On the basis of such evidence the tradition of his "strict Roman Catholic orthodoxy" (Boas, p. 43) may be questioned. It must not be assumed that the theologically conservative reforms of the 1530s inevitably alienated such men as Christopherson, nor should his Marian position be transplanted into the early 1540s. After all, Robert Pember, contributor of Latin and Greek preliminary verses to the respective manuscripts, felt able to compose obituary verse on the death of Martin Bucer and to subscribe to the Roman Catholic Articles of 1555, allowing him to retain his fellowship at Trinity.

The Reformation brought about a renewed interest in the Jephthah story, in vows and particularly in monastic vows. There cannot be any doubt that Christopherson's tragedy would have been of particular interest to an English audience of the 1540s. However, the author's concentration on the dramatic aspects of the tale, rather than its moral and theological application, prevent us from interrogating him closely on this. For the Patristic writers, an assessment of Jephthah's action was predetermined by his inclusion in the list of saints in Hebrews 11. A de facto justification of his conduct was made by seeing the whole incident as a prefigurement of Christ's sacrifice. Christopherson shows his awareness of the medieval typological treatment in his marginal reference (971) to Augustine's *Quaestiones in Heptateuchum*, and throughout the play Iephte and his daughter are treated sympathetically, if not idealistically. Iephte's commitment to God's will, both in success and adversity, stressed by Christopherson in the preface, is a dominant theme of the play and is a moral injunction constantly reiterated by the Chorus.

In dramatising the biblical story, Christopherson remains faithful to the narrative of Judges 11, omitting only the lengthy account of the Ammonites' territorial claims to Israelite territory and Iephte's answer to that claim. To the *dramatis personae*, he adds the character of Iephte's wife, probably influenced by that of Clytemnestra in *Iphigenia in Aulis*, and a number of messengers and servants. The first messenger, who conveys the news of the Ammonite invasion and acts as an envoy to their leader, is distinguished by a brevity and succinctness unusual in such a character. The second messenger brings news of the Isarelite victory.

Christopherson's attempt to inject dramatic interest into the narrative gives rise to some problems of continuity. Although Iephte complains of the cruelty of his step-brothers, the debate between them reveals only that the elder brother is antagonistic towards him. Their disappearance from the play, although reflecting the biblical account, is also somewhat unexpected. Similarly unprepared for is the entrance of Iephte's wife, for Iephte had earlier (846-7) created the impression that his daughter alone runs his household. The character of the king himself suffers curious chronological distortions: he returns from exile eager to see his parents (484), but later (854) is seen as an old man.

It cannot be claimed with any certainty that either the Greek or the Latin version of this play was performed at Cambridge. The account of the Junior Bursar at Trinity (1566-1567) refers to the production of a *Iephthes*, supervised by Thomas Legge, but it remains in doubt whether this was Christopherson's play. George Buchanan's Latin play on the theme was composed at about the same time as Christopherson's and there were a number of other versions of the same story.

The play opens with Iephte alone on stage, reflecting on the mixed blessings that God confers upon mankind. In his own case, physical strength is juxtaposed with illegitimate birth, the cause of hostility from his two half-brothers (4-37). Yet Iephte's humility and deference to God's wishes align our sympathies with him before the entrance of the two brothers. They enter, arguing over Iephte's fate, but it is clear, despite Iephte's reference to the anger of both, that only the elder brother wishes Iephte dead. The younger brother argues for restraint and fear of God's disapproval (38-50). Iephte, unaware of their argument, greets the pair with disarming affection, only to suffer the abuse of the elder brother and accusations of illegitimacy. The scene is developed, mostly in sticho-mythia, to stress Iephte's placid saintliness, with the younger brother vainly attempting to deflect his brother's wrath (51-70). The elder brother's case is outlined in a longer speech: Iephte deserves exile, for God hates the offspring of harlots as well as themselves; Iephte must purge the sin by exile. He too juxtaposes Iephte's strength with a lack of wisdom (71-96). Iephte's reply is the epitome of reasonableness, a mixture of quiet passivity and proverbial wisdom. He welcomes the freedom from fear that disinheritance brings and denies any ambition for power. He will accept exile willingly, placing family harmony above strife, and urges his brother to do likewise (97-132). Iephte's words of moderation are rejected by the elder brother and Iephte prepares to leave, begging to be allowed to see his city once more. Again his request is rejected (133-62). Yet Iephte's farewell speech again illustrates his complete commitment to God's will: vengeance is the Lord's, but he prays that God will spare his brothers. A lament for his fate is again cut short by renewed confidence in God's protection (163-80). He departs, as do his brothers, the latter never to reappear.

The lapse of time between Iephte's exile and the invasion of the Ammonites is filled by the first choral ode in anapaests. The men of Gilead point ahead to Iephte's return–and perhaps to his later reversal of fortune–by stressing the unpredictability and variability of man's life: "O quam instabilis hominũ vita, / Qui iam est exul, mox inde redit" (181-2). They, like Iephte, fear that God will avenge his rough treatment and stress his innocence (181-202). Anticipating the need for his recall, they speak of his strength, importance to the state, and faith in God (203-13). Curiously, they too blame "Rigidi fratres" (216), though the previous dialogue indicates hostility only from the elder brother. The Chorus ends with a deprecation of ingratitude, the source of strife (214-30).

A messenger enters, hurrying to the city with bad tidings. The God of War, in the shape of a huge army of Ammonites, has turned against Israel. Two elders issue forth to receive the news and the messenger repeats his tale. He departs, leaving the two elders to debate their course of action (231-57). The first elder repeats the earlier fears that the invasion represents retribution by God for the treatment of Iephte. His colleague is equally troubled. His initial reaction is to recall Iephte, who alone might rally their troops, but Iephte will surely not return (258-73). The first elder agrees that the brothers have brought down a curse on their land, but believes that Iephte should be summoned, for the good man will not match evil with evil (274-84). Here the two elders begin to differ and a highly balanced and rhetorical debate ensues, first in couplets, then in stichomythia. The second elder opens by imagining Iephte's response. Being mortal, he will be ruled by his passions and will reject the entreaty (285-301). But, replies the first elder, if he knows that his homeland is in distress he will return. No, argues the second, he will rejoice in her misfortune, for his allegiance is now to another land (302-21). Here the argument reaches stalemate and the first elder adopts a new position: if Iephte returns, he will be offered the kingdom. This, of course, is the implication of the biblical narrative, but it is not a condition that Christopherson's Iephte himself makes. Again, the second elder believes that Iephte's anger and resentment will prevent him from accepting. But, argues the first elder conclusively, the god-fearing man ("vir ... pius" [338]) does not allow himself to be ruled by passion. At this point the second elder capitulates, yet their discussion and the way it is concluded resonates in the subsequent drama of Iephte's vow (322-47).

The second choral ode, in trochaics, bridges the span between the decision to recall Iephte and his arrival. The citizens wish the embassy success and consider that Iephte's love for his parents will secure his return. But, drawing back from such speculation, they turn their prayers to God. They pray for forgiveness and deliverance: Iephte must return and lead them (348-410). At which, they see Iephte himself and rejoice. Their concluding comment, often repeated in the play, is that whoever fights with God's aid need fear no enemy (411-34).

Iephte's reappearance is triumphant and confident, repeating the assertion that trust in God is the key to victory. He orders a conciliatory message to be sent to the Ammonites. Their assault is unjust and contrary to God's will. Iephte would prefer peace, but is prepared to fight, if that is their wish (435-62). The first elder advises him not to muster an army until a response from the Ammonite leader has been obtained, but instead to go up to the city and there be created king. Iephte, eager to see his father and home again, departs with the elders (463-87).

Here again the time-scale of the play contracts, for no sooner has Iephte departed than he is recalled to hear the Ammonite reply. The messenger describes the Ammonite ruler as a typical tyrant, impatient and headstrong, exactly contrasted with Iephte. His reply is succinct: he refuses (488-510). Iephte is astonished by his indifference to God's will, and yet remains reluctant to act. He orders the embassy to be repeated. The messenger departs with trepidation (511-43). Now Iephte is prepared for a negative response and orders his troops to be mustered: a wise man should be prepared for such eventualities. The Chorus agrees, but Iephte continues to show a reluctance to fight; he deplores the Ammonites' arrogance and stupidity that will bring them ruin (544-72).

The messenger returns with the same report: the Ammonites are full of wrath and scornful of Israel's God (573-91). There follows Iephte's key speech of the play (592-621), placed at its central point. He contrasts once more the Ammonites' reliance on their own strength with God's protection of the Israelites. Praying to God for His support, he vows to sacrifice whatsoever or whomsoever should meet him from the palace when he returns, if God grant him victory:

> ex aedibus
> Quisquis reuertenti obuiam primũ exeat.
> Tibi o poli rector dabo hostiam lubens. (607-9)

The third chorus in anapaests bridges the space between Iephte's departure and the arrival of a messenger bringing news of the battle. The citizens are confident of victory, for Iephte relies on God, not on his strength alone. An army needs equipment, but without God to guide them they are like a rudderless ship. The battle will be fierce, but their cause is just (622-60). A second messenger now arrives with good news and gives an extended account of the battle. Combat began with bows and javelins, after which the Israelites fell upon their foe like a whirlwind, and hand-to-hand combat ensued. The results were bloody and the Ammonites fell like an ox seized by a lion. Through God's active support the field was soon strewn with their dead, so that the beleaguered Ammonites finally fled, their distress colourfully illustrated (661-705). The Israelites besieged twenty cities from Aroer to Minnith. Christopherson expands on the biblical account to describe the terror felt by the women and children at the burning of their cities. But their pleas for mercy were in vain, for God commanded that they be put to the sword. His retribution was total (705-33). The Chorus welcomes the news with a prayer of thanks to God in the form of a "Carmẽ Mixtũ," an anapaestic rhythm. They have no strength but in the Lord (734-50).

Their prayer is taken up by Iephte on his reentry, but his joy is rapidly reversed as his daughter comes out to welcome him. His daughter's bewilderment at her father's grief adds to the tragic irony of the scene. Iephte's revelation is made gradually: he must make a sacrifice and a victim is required. The daughter continues to press her father for an explanation, but he is still evasive. Finally she recognises the full horror of the situation and that her own father must perform the ritual. Yet, discovering that the vow was made to God, she is ready and willing to comply, which only increases Iephte's anguish (751-831).

Iephte reveals how the vow came to be made and laments the loss of his only child, the sole prop of his old age. But though his daughter's pious acquiescence accentuates his grief, he must fulfil his promise to God (832-73). She in turn grieves to see her father reduced to tears, but particularly to see him childless. Her only comfort is: "Prolẽ creare a coniuge alia vt potes, / At te perempto aliũ patrẽ haud mihi assequi / Licet" (888-90). For herself, she welcomes death for her country, but regrets that she will die unwed. She asks that she be allowed to go with her maidens into the hills for two months to lament her virginity (874-910). To this, her father, with reluctance, agrees. Again she laments her childlessness: the Lord must be her children and father. She summons her handmaidens and departs (911-58).

The citizens of the Chorus, in anapaests, express regret that death should take one so young and good. They begin to question whether Iephte behaved correctly, and yet certainly he had God's support in battle. They contrast Abraham, who, at God's command, offered up his son, with Iephte, who, unbidden, made a similar vow. The wise man should reflect on the implications of an oath (959-97).

At this point Iephte's wife enters, deploring the vow and the loss of her only child. Iephte meets her, undecided whether to slay his child or to break his oath (998-1017). Yet, in the argument with his wife, Iephte would seem to have already made his decision: he gave his word and God requires fulfilment. He treats his wife dismissively, calling her mad (1030, 1038) and ordering her inside, though her argument that God does not condone infanticide and that Iephte's oath was wrong seems legitimate (1018-46). She departs, lamenting her childlessness and welcoming death herself (1047-57).

Iephte too anticipates the death of his wife. His speech, acknowledging the swift reversal of joy to sorrow, resembles a choral passage and indeed spans the lapse of time before his daughter's reappearance. He again appears undecided, unwilling to sacrifice his child. But God requires the vow be completed. Still vacillating, he sees his daughter return (1058-88). He is inclined to die himself rather than kill her, but her compliance shores up his resolve. Before her final exit she prays to God for her parents, her country, and herself, leaving her father utterly downcast, his prayer in turn asking forgiveness for himself and acceptance of the sacrifice (1089-130).

The citizens of the Chorus are left to lament in iambics the fate of so fair a daughter and the family's tragedy. Expectantly they await news from the palace, and a servant enters to describe the outcome (1131-47). Iephte was at first reluctant, but his daughter gave him comfort: "In lucẽ ob hanc rẽ procreasti me prius" (1157). She was eager to die for her country and for God who gave them victory (1148-65). But once more Iephte turned from the deed, offering his sword to his daughter. At last the sword descended and all wept for the maid, whose courage and obedience were exemplary (1166-86). The Chorus concludes with words of caution on the making of vows. Their consequence should be foreseen, but, once made, they must be fulfilled (1187-95).

Bibliography

Christopherson's Greek text was edited and translated by Francis Howard Fobes, *Jephthah by John Christopherson* (Newark, Del., 1928). It is described in Boas, *University Drama*, pp. 43-62, which includes some account of Christopherson's life, supplementing that in the *DNB*, Vol. IV (London, 1908), pp. 293-5. Christopherson was not alone in developing this story, and Wilbur Owen Sypherd, *Jephthah and his Daughter: A Study in Comparative Literature* (Newark, Del., 1948), gives a useful summary of the variety of treatment. George Buchanan's *Jephtha* has recently been edited and translated in P. Sharratt and P. G. Walsh, *George Buchanan: Tragedies* (Edinburgh, 1983), which contains relevant information on the importance of the theme in the mid-sixteenth century. The educational and cultural background is discussed by James Kelsey McConica, *English Humanists and Reformation Politics under Henry VIII and Edward VI* (Oxford, 1965). Relevant material can also be found in the works of Roger Ascham, particularly in his letters, in *The Whole Works of Roger Ascham*, ed. Rev. Dr. John Allen Giles, 3 vols. (London, 1864-5). A discussion of the beginnings of Greek at Cambridge may be found in Arthur Tilley, "Greek Studies in England in the Early Sixteenth Century," *English Historical Review*, 53 (1938), 221-39 and 438-56, and John Strype, *The Life of the Learned Sir John Cheke K^{t}* (Oxford, 1821).

WILLIAM GOLDINGHAM

Only the barest outline of William Goldingham's life can be provided. He matriculated as a fellow-commoner at Magdalene College in the Lent term 1564/5, but is subsequently associated with Trinity Hall. He was B.A. in 1567/8 and was elected a Fellow on Bishop Nikke's foundation on 2 May 1571, in which year he commenced M.A. He remained a Fellow for ten years, becoming L.L.D. in 1579. He was admitted advocate on 15 June 1579, and on 2 February 1584 was admitted to Gray's Inn as one of the Doctors of Laws. He died, it would appear, in 1589. During the final year of his fellowship at Trinity Hall, he would have shared that status with Gabriel Harvey, who was elected a Fellow in December 1578. In a letter to Edmund Spenser of October 1579, Harvey refers to a Latin acrostic by Goldingham on Thomas Seckford, one of the Masters of Requests in Ordinary. No doubt at this date Goldingham was seeking to advance his career. However, Harvey's letter remains the only indication of Goldingham's contact with this important literary circle.

Goldingham would seem to have been involved in the celebrations surrounding Elizabeth I's visit to Norwich in August 1578. Bernard Garter's description of the events, *The Ioyfull Receyving of the Queenes most excellent Maiestie into hir Highnesse Citie of Norwich* (London, 1578), contains Greek and Latin verses by one William Goldingham, Master of Arts. Garter describes, in the course of the entertainments, an "excellent Princely Maske" of gods and goddesses presented before Elizabeth on the evening of 21 August and composed by Goldingham. There is no reason why we should ignore the evidence of Garter's volume and attribute the masque to Henry Goldingham, as Chambers (III, 322 and IV, 63) and Harbage/Schoenbaum (*Annals of English Drama 975-1700* [London, 1964], p. 46) do. Their assumption is based solely on the fact that a Henry Goldingham wrote a masque for the Queen's visit to Kenilworth, but the *Herodes* shows that William too had experience in dramatic writing. Interestingly, the Queen's stay at Norwich came shortly after her visit to Saffron Walden, celebrated so effusively by Goldingham's colleague, Gabriel Harvey, in his *Gratulationum Valdinensium libri quatuor* (1578). It would also appear to support other evidence associating William Goldingham with East Anglia. In 1581 he was chosen counsel of the town of Ipswich for Admiralty causes, which carried an annual fee of 40s.

Herodes

Goldingham's *Herodes Tragoedia* survives in a single manuscript copy in Cambridge University Library (Mm.1.24). The date of its composition remains a matter of conjecture. The dedication of the manuscript to Thomas Sackville as "Equiti aurato, Domino de Buckhurst" gives us 1567 as the earliest possible date of composition, Sackville being knighted in that year. However, it is most likely that the play was written while Goldingham was a Fellow of Trinity Hall. Sackville was a highly appropriate dedicatee, both as a fellow lawyer and as the co-author of the Senecan tragedy *Gorboduc*, acted in the hall of the Inner Temple in 1561. The Senecan tone of the *Herodes* is unmistakable.

Goldingham's source for the play is exclusively Josephus, either his *Bellum Iudaicum*, Book I, Chapters 647, 656, and 662-5, or *Antiquitates Iudaicae*, Book XVII, Chapters 168-70, 183-7, and 191-2, which cover the same events. The more critical assessment of Herod's career and character in the latter work suggests that he concentrated on the *Antiquitates*. Indeed, a reference in *Antiquitates Iudaicae*, XVII, 167, to an eclipse of the moon must surely be Goldingham's inspiration for the play's opening scene, in which Mariemma invokes the forces of darkness to effect her revenge. However, references in the drama to prior events in Herod's family history show that Goldingham drew more widely upon his source than this. In particular the final chorus of the fourth act, which is a key moment in the play, is a collation of incidents from *Antiquitates Iudaicae*, XV-XVII, which shows and expects a considerable acquaintance with the classical source. It is unlikely that even a Renaissance audience would have made much of this passage and it represents the transposition of a classical family saga, say that of Atreus or Oedipus, into a Judaeo-Christian setting.

A number of other comments by Josephus in the course of his narrative undoubtedly suggested to Goldingham how he might approach the characterisation and dramatisation of the story. In *Antiquitates Iudaicae*, XV, 241, Josephus refers to Herod's unnatural affection for Mariemma after her death and comments that it looked like divine vengeance. Josephus remains uncertain (*Antiquitates Iudaicae*, XVI, 188) whether Herod's misfortunes are brought by God or fate, and this ambiguity is preserved in the drama. Josephus's discourse on fate (*Antiquitates Iudaicae*, XVI, 397-9), an issue close to the historian's heart, and on dying well (*Antiquitates Iudaicae*, XVII, 152-4) may well have influenced the fatalistic tone of the choral passages. Although written with the benefit of Christian hindsight, the play preserves that ambiguous interplay between fate, divine and personal vengeance, dimly perceived by the protagonists. Only in the chorus that ends the fourth act do we hear an external narrative and the imposition of Christian viewpoint upon the story.

The dull Senecan tenor of much of the narrative does not do adequate justice to Goldingham's subtlety in adapting his material to a play. In removing Salome from the story and incorporating Mariemma as a vengeful ghost, the author has unified a disparate and fragmented narrative into an acceptable drama of revenge. The reintegration of Herod's former wife Doris into the family nexus, though not justified historically, adds some pathos to a narrative otherwise uncompromising in tone.

There is no record of a performance of *Herodes* at Cambridge. Unless we accept the possibility of a staging of the *Miles Gloriosus* of Plautus at Trinity Hall (c. 1522-3), Goldingham's college does not seem to have had a theatrical tradition. Nevertheless, Goldingham seems to have allowed for the possibility of staging the play. Herod's request (1299) for the doors of the palace to be opened, revealing the body of his wife, is one example of this.

The play opens in true Senecan style with Herod's dead wife, Mariemma, above on stage, having returned from hell. She bears a torch, symbolic both of her marriage and her death and of the internal fire which will afflict Herod, for she will make the king burn with love for her (4-19). She prays to the Furies for aid to avenge her own death at Herod's hand and the death of her brother (20-51). Let Antipater plot against Herod and then also die by his father's sword. Finally she prays that Herod, bereft of all his family, may turn his anger on himself, but even death must at first elude him. Only such an outcome can satisfy her hatred. But now as that fateful day approaches, she retires (52-72).

Herod too sees daylight breaking, reproaching the sun for renewing his misery. He would rather be hidden by darkness or thrust into hell, for he is stained by the blood of his wife, his people, his brothers, and children. Only Antipater remains alive, so like his father in his bloody conduct that he has already attempted to poison his father (74-107). Only through his own death will Herod's house be free of perfidy. A fire burns within him and he longs for death (108-25). Herod's servant Achiabus tries to comfort him: he is not guilty who confesses his guilt. But Herod is not to be comforted. He prays for the worst that hell can throw at him, for he has left no crime unattempted (126-63). Achiabus again argues that Herod is not guilty, having committed the acts in ignorance. Intention causes sin and Herod is only the victim of fate (164-75). Herod will have none of this: it is not fate or the gods that caused his crimes, but he himself. The murder of Mariemma and her children is unforgiveable (176-87). Perhaps fate has conspired against him, but the crimes are his. He hastens towards hell (188-209). He too prays to the Furies and once more recounts his crimes, the slaughter in Bethlehem and destruction of his family. Antipater plots his death, but Herod wishes them both dead and indeed contemplates suicide (210-50).

The Chorus, whose identity is not revealed, end the first act, drawing out the moral implications of Herod's state. Beginning in sapphic hendecasyllables, they warn that no king, however mighty, should trust too much in fortune or the sword, for he is subject to a stronger authority and judge. They describe the moral and physical symptoms consequent upon guilt, and the punishment more severe even than sickness and death (253-88). The rhythm changes to asclepiads as the Chorus describe the fate of Oedipus, tracking down his own crime and tearing out his own eyes (289-316). Fortunate is the man content with a meagre existence; such a man dies in peace (317-28). The Chorus hope for just such a death, mourned by their family, buried in a modest plot, and leaving no reputation behind (329-45).

The second act begins with Antipater in conversation with his prison warder. Antipater complains that Herod's sole heir lies forgotten in prison, wasting his youth. Such is the outcome of having a father who considers his offspring as enemies. He confesses that he has tried to poison his father, but a crime against Herod is no crime (349-71). The warder upbraids him for his harsh words: punishment should breed repentance and a quieter mind. Antipater replies that no prison or punishment, not even his death, will curb his desire for revenge. But, argues the warder, Antipater has no friends, for the people believe him to be the cause of his brothers' deaths. Herod, in pity, has saved him from the sentence he deserved (372-402). This provokes Antipater to a savage tirade against his father. Could such a man feel pity that has so treated his family and himself? Herod wishes to eradicate his house, yet he is so cruel that he is not satisfied with Antipater's swift demise (403-46). But Antipater wishes to inculpate his father even in his own execution, for if Herod does not put him to death, he in turn will kill Herod (447-59). Antipater and his warder then enter into a debate on the moral justification of such an action. Antipater argues that Herod has already subverted the ethical law that would outlaw such an act: "Sacrata si quis iura naturae abstulit / Hanc scelere fas est impio rursus peti" (463-4). The warder, failing to move him from such a position, warns him that this would endanger his own life. But Antipater has nothing to fear: "Securus est, quicunque in extremo est loco" (471). The warder advises Antipater to be more patient, revealing that he has been granted a brief spell of freedom before his execution, and Antipater is led from his prison, describing the view of Jerusalem that meets his eyes. But his wonder turns to loathing as he observes the palace of Herod (460-510).

Here Antipater leaves the stage, presumably entering the palace, not reappearing for almost 500 lines. The Chorus, alone on stage, hears the sound of lamentation and looks to a messenger for an explanation. After Herod had withdrawn to the palace, he relates, and returned to his bed, at first he found no words to express his grief, but then broke into uncontrollable weeping: he lamented the deaths of Mariemma and his sons, Alexander and Aristobulus, and his own heinous crimes (512-55). Then some inner fire tortured him and unhinged his mind. It was as if some hunger tormented him. He requested an apple but, instead of using the knife to prepare his food, planned to strike at his own heart. His servants, however, deflected the blow, which nevertheless entered his side. He still lives, though false rumour persuades the people that Herod is dead (555-600).

A Chorus enters, prematurely mourning the death of the king and addressing their dirge to the distant towns of Israel (603-28). Death waits for all, and only a timely end can be hoped for. Happy is the man who does not fear death. The Chorus would not wish to postpone death or to hasten it, as Herod has done (629-60).

The third act begins with Herod and Achiabus in conversation. Herod rails at fortune that has robbed him of his family but will not allow him to end his own life. Like Antipater, having lost everything, he fears nothing. And yet he remains full of trepidation (663-84). Achiabus offers advice similar to Antipater's jailer's: bear misfortune with patience. Herod replies that he does not fear physical threats but what further crimes he might commit if he lives. Again he prays for the sweet solace of death (685-712). But, argues Achiabus, life is a gift of the gods and it is impious to seek to lose it. Herod remains unconvinced (712-34) and indeed the appearance of the jailer bearing bad news will confirm his pessimism. After the false rumour of Herod's death had spread through the city, the jailer reports, all Jerusalem was plunged into mourning. Antipater alone remained untouched by sorrow and, indeed, openly rejoiced (737-73). He demanded that he be released in order to rule in his father's place. His jailer, despite Antipater's dire threats, remained unmoved (774-88). The news only increases Herod's despair: whatever his son knows of evil was learnt from him. Both deserve destruction (789-804). The Chorus curtails his lament, warning Herod that his son might even now be stirring up the people against him (805-8).

Here Herod launches into his longest speech in the play. It is a speech divided against itself, an internal dialogue, rhythmically and psychologically disrupted. His initial reaction is to let Antipater put an end to his father's life, which Herod himself could not achieve. Yet can he allow the author of such an act to escape unpunished, even if it be his own son (809-51)? Reviving memories of his own guilt, he once more addresses Mariemma, and the rhythm of the speech is broken by eight lines of trochaics (852-9). When Herod returns to iambics he has found the courage to order his soldiers to execute Antipater (860-9).

The third act ends with a choral passage beginning in anapaests and repeating a number of generalised themes of the first song. The Chorus warns of the instability of fortune and high office: better to live under a poor roof, satisfied with one's lot. But human beings will face any danger to achieve power (871-904). No king is truly so if he be a slave to fortune. Indeed the true king is "dominus sui" (914), not subject to the fickle support of his people. Such a man of modest desires and ambitions is not afraid to die. Had Antipater recognised this he would not now face death at the hands of his reluctant father (905-43).

Antipater enters, his desperate excitement reflected in the anapaestic rhythm. He wonders what grim punishment his father is preparing for him, for Herod is well versed in torture and has learnt well the lessons of hell (947-91). The Chorus offers him little consolation: it is not the people's revenge that threatens him, nor some hostile spirit from hell, but false fortune (992-1004). I have deserved to die, answers Antipater, and as his excitement diminishes, an iambic rhythm resumes. He too, echoing the previous chorus, wishes that he had been born of lowly stock, for it was his proximity to the throne and the ambition to possess it that was his downfall. He repeats that he does not fear death, for his sentence is deserved (1005-35).

Antipater's arrest is witnessed by his mother, Doris, who sees her son led away by Herod's soldiers. The Chorus describes her tearfully embracing her son in silence (1039-62). She laments the untimely death of a son for whom she held great hopes and whose right it was to become king. She cannot bear to live without him (1063-87). But, answers Antipater, I alone have deserved death. Her grief redoubles his own. Now deprived of both a husband and her son, Doris bids a last farewell to Antipater (1088-132).

The act is concluded by the Chorus in anapaestic rhythm discoursing on the reverses of fortune. Those on the downward turn of her wheel rarely recover (1135-52). There follows a lengthy account of the misfortunes of Herod's house, not easily deciphered, for Goldingham presupposes in his audience a detailed knowledge of *Antiquitates Iudaicae*, XV-XVII. First the Chorus refers to the death of Hyrcanus, "miserande senex" (1164), recalled from his home at Babylon (1164-8). Aristobulus, addressed as "Lachrimandè puer" (1170) and "magnè Sacerdos" (1171), was drowned at Jericho by order of Herod (1169-73). Mention is made of the deaths of Mariemma and of Sohemus, "Bonus et simplex ille minister" (1177), similarly executed on Herod's command (1174-7). Mariemma's sons, Alexander and Aristobulus, met the same fate (1178-81). Next, an account is given of the poison brought "a Phari littore Nili" by Antipater to murder his father. However, the drug was used instead upon Pheroras, Herod's brother. The full story was revealed to Herod by Pheroras's wife, who, having failed to kill herself by jumping from the palace roof ("ruit in p[r]aeceps" [1193]), is granted pardon for herself and her domestics by confessing the truth (1182-95). The misfortunes of the family are attributed by the Chorus to that son of God–"Caelo ex alto dimisse puer" (1200)–whose birth was signified in the sky and who now dwells in Egypt with his mother (1196-217).

The fifth act begins with a messenger bringing to Herod news of Antipater's death by his own hand. He describes the ambivalence of popular feeling, some blaming Herod for the troubles of his family. While the priest was speaking a solemn prayer, Antipater impatiently took the knife himself. Defiantly he refused to allow anyone else to take glory from his death, but lamented that it would be insufficient expiation for the deaths of his brothers (1220-59). Herod's reaction is far from exultant: he weeps, feeling himself guilty. His son deserved death, but not by his orders (1260-84).

Herod's sorrow is redoubled by the appearance of a maidservant announcing that his wife Doris has hanged herself (1287-95). Herod requests the doors of the palace to be opened and there sees the body of his wife. Again he recognizes his own guilt, for it is Antipater's death that has led to that of his wife (1296-314). The Chorus anticipates that Herod is once more preparing to take his own life, but again the sword is wrenched from his grasp (1315-23). Herod complains that, surrounded by death, he is still alive. He would end his life with his bare hands if strength did not fail him. He envies his son, who either is ignorant of his mother's death or shares his sorrow with her (1323-32). Achiabus orders the bodies to be removed, but Herod determines to follow, both physically and metaphorically, for the door of death is always open and, for all the efforts of his servants, he will find it (1333-45). Here the manuscript ends.

It has been suggested both by Churchill and Keller (242) and by Boas (p. 288 n.) that the *Herodes* is incomplete and that a final choral passage announcing the death of Herod and perhaps a concluding speech by Mariemma were not written or are no longer extant. This is purely guesswork, and since Churchill and Keller are so critical of the play's dramatic content they may not be the best judges of Goldingham's intentions. No extant drama by Seneca, if we accept their description of the play as Senecan, is concluded by a second address by the vengeful deity or ghost and only two by a final chorus. Mariemma's opening prophecy has informed us how Herod's reign will end and he is sufficiently "Aeger, cruentus, orbus, execrabilis" (64) by the end of the text to leave us in no doubt that his death is near. The final removal of the bodies of Doris and Antipater, followed by the grieving king, is surely dramatically a more appropriate ending.

Bibliography

A brief summary of Goldingham's academic career can be found in Charles Henry Cooper and Thompson Cooper, *Athenae Cantabrigienses* (Cambridge, 1858-61), II, 10. See also John and J. A. Venn, *Alumni Cantabrigienses*, Part I (Cambridge, 1922-7), II, 229. His admission to Gray's Inn is recorded in Joseph Foster, *The Register of Admissions to Gray's Inn, 1521-1889* (London, 1889), p. 63. For the acrostic on Seckford see Joseph Haslewood, *Ancient Critical Essays upon English Poets and Poesy* (London, 1811-5), II, 302. Harvey's letter is discussed also in Charles Crawley, *Trinity Hall: The History of a Cambridge College, 1530-1975* (Cambridge, 1977) p. 67. John Nichols, *The Progresses and Public Processions of Queen Elizabeth* (London, 1823), II, 136-78, reprints Garter's record of the Norwich visit, together with Goldingham's Latin and Greek verses and the masque. David Galloway most recently reprints them in *Norwich 1540-1642*, Records of Early English Drama (Toronto, 1984), pp. 247-91, but follows Chambers, *Elizabethan Stage*, III, 322 and IV, 63, in attributing the masque to Henry Goldingham. The play itself has been relegated to a footnote in general studies of Elizabethan drama. Only Churchill and Keller discuss it at length, but consider it of little merit (241-4).

Christopher Upton

[illegible] … [illegible]

… utilitate: et pietas ad omnia utilis est [illegible]

Tragedia Jephte a Joanne Christofersono et grece et latine scripta de undecimo capite Judicum.

Inuictissimo, simul ac potentissimo Regi
Henrico Octauo Dei Gratia
Angliæ, Franciæ, et Hiberniæ
Regi, fidei ~~...~~ defensori et in
terris Anglicanæ, et Hibernicæ
ecclesiæ supremo capiti.

Etsi mansuetiores musæ in quibus nos humiles scholastici tui versamur, Inuictissime rex, quo=dammodo ab omni præliorū contentione, Martisq; tumultu abhorrent: tamē vt tua maiestas omni cura, et cogitatione ad firmā Patriæ salutem communemq; omniū defensionē tū isto quidē tēpore, tum alias semp incubuit, sic nos studijs nostris quæ latent in tutela, & præsidio tuæ admirabilis bellicæ virtutis assiduā operam nauare debemus, quo dei gloria amplificetur, tuæ celsitudinis honos illustretur, Resq; publica denique inde non mediocre capiat emo-lumentū. Atq; vt non omnia belli instrumenta ad quamq; expeditionem accōmodata sunt: Sic non omnia studiorū genera omnibus temporibus apte, et decore respondent. Tempori seruire in quoq; obeundo ne=gotio, sapientis in primis est habitū. Ego ista alijsq; rationibus adductus studio sacræ scripturæ quam diuus Paulus θεόπνευστον appellat operā.

dedi diligentius. nã in tali tempestate ad eam
tanquã ad tutissimũ portũ nosipsos recipere
debemus. Ut sive belli certamine nos vehementer
exerceat, sive fortuna aliis quibusdam pericu-
lis exagitet. hic perpetuo firmũ habeamus
perfugium. Ceterarũ vero artiũ notitia, nõ
tantum habet virium et nervorũ. Ut nos vel
afflictos recreare, vel pene desperantes ad
meliorẽ spem possit reducere. in hoc sacro
sancto dei verbo tantũ inheret roboris, ut
quecunq; impẽdeant pericula, vel ita nos
confirmare queat. Ut ea toleranter & placide
subeamus, vel talẽ certe viam commonstrare,
ut eam insistentes divino fulti patrocinio
nosipsos penitus eripiamus. Huc igitur me
retuli. ea ipsa scriptura hortante maxime.
atq; ita reliquarũ rerũ studia cum ista
temperavi, ut nec in illarũ omnino oblivionẽ
venire, nec istam preciosam Margaritam
aliquando emanibus deponere velim. in
illis enim rudem esse infantiae est: in sacris
literis esse ignarum impietatis est. et
cum a prima studiorum ingressione gere-

cis literis plurimū deditus eram operae pretiū esse
duxi, ut aliquod argumentū a sacra scriptura
petitū eisdem literis (si modo illud consequi, et effi=
cere possē) vberius planiusq; explicarem, neq;
id quidē soluta oratione, et liberius incedente quod
sane non magni negotii fuisset, sed numeris et
astrictiore dicendi genere, quod plus habet dif=
ficultatis. cum euoluenti mihi assidue veteris
testamenti historias, nulla illustrior visa est
in qua me ipsū exercerē, quāq; in Tragoediā
conferrem, et quam deniq; isto quidē tēpore
tuae maiestati opportune offerrem, quā illa
quae est de Jephte vndecimo Judicum scrip=
tis prodita. quae sane multa, et varia ad vitae
nrae informationem continet documenta. vt
de miseria moderate toleranda, de auxilio
patriae ferendo, de victoria petenda de deo,
de votis non temere faciendis, de obsequio
liberorū erga parentes quae postea carminibus
quibusdam latinis explicantur diffusius. atq;
vt totam Tragoediā primo graece scriptam
facilius quisq; intelligere possit, eam latine
iisdem metri generibus expressi. ex quo nō=
nulla significatio quid in vtraq; oratione possim
a literatis capi queat. porro ex multis

exemplis, quae ex hac historia sumi possunt, illud quod ad victoriam spectat. ad istud belli tempus insigne est. Vt enim ille quē dico Jephte antequā praeliū iniret Deum ardentissime pro victoria precatus est. Sic tua Maiestas in omnibus belli tēpestatibus prudentissime, sanctissimeq; semp factitauit. Tametsi in apparatu bellico hominumq; viribus, quae ipsa per se valdé necessaria sunt, aliquid spei ponis, tamen non in illis omnino gloriaris. vt insolens Sennacherib, sed potius in deo omnipotēti. cuius nomen et per te, et per tuos omnes sedulo imploras, omnē vincendi spē perpetuo collocas. quod piū Ezechiam olim fecisse accepimus. Reliqua etiam scripturae loca, si exquisitius animo et cogitatione lustrentur, non minus illustria, minusq; ad vitam accomodata, tanq; virtutis monumēta in se complectuntur. Quae cū animis assidua meditatione, et frequēti scripturarum euolutione penitus impressa sunt, mirificū afferunt fructū. nō enim solum vt a malo declinemus, qui est quasi primus ad virtutem aditus, sed etiam vt faciamus bonū, quae est ipsa proxima, et compendiaria via secūdū Christū ad verā beatitudinē dilucide commonstrant. Hic est Lydius lapis, qui doctrinā Papisticā, argentum adulterinū, plūbū verius dixerim, Dei gratia, et tuae Maiestatis ope cōprobavit. Haec est quasi veritatis regula, quae neq; in hanc, neq; in illā partē flectitur, quaeq; verū angulare lapidē, qui est Christus, indicat, Haec est via, quae neq; in operta superstitionis dumeta, neq; in obliquos erroris Labyrinthos ducit, sed semper quosq; medio continet spatio. Hic [illegible] labor, cuiusq; merito ponendus est, ubi maximus fructus capiatur. Tuā iam maiestatē vehemēter obtestor, ut istā qualēcūq; lucubrationem (sicuti solet) benigne dignetur accipere, saepius ad tuā Celsitudinem Graecae lecturae, Cantabrigiensis petendae caussa supplex quidē accessi, hactenus tamē ea res minime translata est, nunc tandē spero tuā divinā, et singularē prudentiā, sic de illa statuere ut tuae Maiestati sūmo honori, et iuventutis educationi, maximo emolumēto esse possit. Christus tuā Maiestatē nrae Reip: diutissime florētē, et incolumē servet.

Maiestatis tuae
humillimus scholasticus
Jo: Christofersonus

Exēpla quæ ad vitæ usū
ex Tragœdia Jephte
peti possunt.

Senarij.

Diserta quæq; scriptio laudē inuenit
Merito. Attamē Tragicæ Camœnæ maximū
Decus merentur propter ornatū styli.
Grauibus enim verbis refertę permouēt
Animos: Theatrū tristibus complēt modis,
Sententijs crebris fluunt in intimos
Sensus. voluptatē afferunt spectātibus,
Oculis subijciunt flexilē æui tramitē,
Illustriū casus acerbos exprimunt.
Priscis in hoc primas poetis deferunt.
Nisi quod Tragœdiā expleāt mēdacijs.
Res ficta, verba splēdida, stilus eligans,
Procul tamen sincera veritas abest.
Proinde nos portenta quæq; immania
Reijcimus Dei secuti oracula.
Materia suppetit huic Tragœdiæ proba,
Hinc clara licet exempla vitæ promere,
Ergo labores hic locandos duximus,
Virtutis vbi decorus elucet nitor.
Tragicis Jephte cōmode offert se modis,
Vir bellica virtute clarus, et potens,
Qui perditos prolis satu æditę Amōnis
Repressit impetus, Nefanda qui tulit
Probra placide fratris (pati hic discas licet

Iniuria) pulsusq; patrio solo
No vltus est se, sed remisit noxiā,
Postea reuersus patriā clade eripit.
Hostes domat trophæa nact9 inclita,
Non viribus cōfisus hominū, sed Deo
Conuertit hostes in fugam, et victor redit
Quicunq; splendidā appetit victoriā,
Exercitū instruat, paretq; Martia
Arma ista certe postulat necessitas,
Validam tamē dei manū imploret simul
Si vincere cupiat. Deus nāq; author est
Victoriæ solus. Hoc modo inuictissimus
Rex noster edomat Scotos fœdifragos,
Sic insolētes comprimit Gallos manu
Dei potentis. Non virorū robore
Fretus gerit bella grauia vt Sennacherib,
Sed cum Ezechia cōstāter inuocat Deū.
Firmamq; in hoc solo triumphi spē locat.
Munitur Anglia brachio isto fortiter
Fugiat Scotus, Gallusq; fugiat ocyus.
Henricus Octauus Deo pugnat duce,
Hinc fronte tristi hipocrisis longe exulet,
Errorq; deuius simul paret fugam.
Nil hic loci est. Aperta regnet veritas.

Hinc, vota si sancire recte vis Deo
Egregia sume exempla ne temere obliges
Voto teipsũ. Hic error est grauissimus.
Complectere animo sedulo antequã Deo
Vota facias, dein lubenter perfice.
Vouere non coegit Deus, sed tu volens
Paciscereris, prudenter ergo suscipe
Votũ, Deoq; redde quod debes lubens.
Iussis parentũ liberi qui negligunt
Parere, referãt se huc, piamq; filiã
Jephte videant. Illa nãq; nubilis,
Ætateq; integra, vnicũ patris decus,
Columen familiæ, se neci iussu patris
Libenter obtulit, suæq; pertulit
Vitæ parentis vota, dicto obtemperãs,
Ergo parentibus decet prolẽ obsequi.
Hoc vult deus proponit ampla præmia,
Hinc ista discas licet, et alia illustria
Exempla vitæ, Namq; Sacri numinis
Eloquia plena sunt. proinde te addito
In hæc studia. Disce, vitã vt instruas.
Disce vt docere proximũ possis, Mori
Disce vt Deo viuas. Id est vita frui. / . / . /

In Tragædiā Jephte
Roberti Pemberi
Sapphica.

Veritas quanto melior putanda est
Rebus his fictis penitusq; falsis,
Fabulādi quas studiosa quondā
Græcia liquit.
Christofersoni labor iste tanto
Est cothurnatis merito poetis
Prisca quos ætas numerauit olim
Anteferēdus.
Futiles illi veteres politis,
Efferunt nugas grauibusq; verbis
Sic rudis veræ pietatis ætas
Gaudia cepit.
Diuites verborū inopesq; rerum
Scimus hoc omnes quod erant bonarū,
Falsa scripserunt, docuere, ficta,
Vanaq; vam.

Fabulæ fictæ procul hinc facessant,
Veritas regnet, dominetur una
Veritas nostris quoq; iam theatris
Digna putetur.

Excitet plausus etiã frequẽtes
Illa sit nostris decorata scriptis.
Veritas totũ vigeat, ꝑ ipsũ ac
Floreat orbẽ.

Hic Jephte amplis, Tragicisq; verbis,
Splendide ornatur, quibus ipse gaudet,
Christofersoni hæc docet, explicatq;
Musa diserti.

Laude quẽ lector studiose multa
Gratus ornato atq; imitare eũdẽ,
Quod potes, sic laus dabitur tibi, atq;
Nobile nomen.

Personae fabulae

Jephte.
Fratres duo.
Seniores duo.
Nuncius.
Chorus Galaaditarũ.
Nuncius alter.
Filia.
Uxor Jephte.
Famulus.

14r

Prologū narrat Jephte
Carmē Iambicū trimetrū
Acatalecticum

Non omnia omnibus sator rerū Deus
Simul dedit. Nam prouida mēte imbuit
Quosdam Canora instruxit alios musica.
Plerisq; clarū præstitit formæ decus
Firmas huic vires citatū illi gradū
Concessit. In pectore meo infixit graue
Robur sed ignobilis erat stirps, gratiam
Tamē deo habeo qui dedit. Nā sarcimt
Vires humile genus. Pater mihi Galaad
Fuit, vir eximius, et animo perspicax
Materq; inops, abiecta. Verū ego crimine
Vaco generis. Hoc in parētes confero.
Qui me crearunt lege genialis tori
Rupta. Quid ista memoro? gratias Deo
Potius agere par est. Valet ēm mens sagax
Plusq; inclitū stirpis decus. Quin corporis
Vis in graui pugna facile primas tenet.
Iam liberos in ædibus genuit pater,
A quibus ad me liuor obrepit malus.
Itaq; flamma incenditur mente effera
Hæreditatem vendicant, meq; vt nothū
Volunt, inique ex patrio lare pellere
Feram ne? non illis resistā? hoc pulchrius

Contra hos mire proeliū tetrū est scelus.
Pestifera res bellū idq; cum charissimis
Est dedecus subire. Judicat enim ignauiā.
Durc secare facta ferro conuenit.
Quid molior? Mens caeca ducit ad nefas.
Deus prohibeat quoq; litem sanguine
spersā. Dolorē enim peccātū mentibus
Inureră, Deiq; sacrā incenderet
Bilē. licet animū voluptate expleant.
Tamē sacrati inflāmat ira numinis.
Cui satius est quā proprio genio obsequi.
Fra: in. Quid aggredimur? aut quid gradū ad fratrē ocyus
Tollimus? Atrox mentem occupat furor. Impiū
Facinus neci fratrē dare. Manus comprime.
Fra. se: Germane desipis. Hunccine haeredē fore
Sinis? Haud erit. Ne sit familiae Barticeps.
Non noster appellabitur frater. Nothus
Namq; est, scelestus, arrogans, nefarius.
Mactare oportet. Frater adeamus statim
Fra. iu. Charissime Deū omnipotētē & vindicem
Non metuis? Insanū furorem mitiga.
Germane sape. nō gliscit ira mens nimis
Patientia vince. Hoc melius est. Vincere
Etenim teipsū illustris est victoria.

Jephte. Saluete fratres optimi, huc me confero
Vt dulce vobis afferam solatium.
Fra: se: Solatiũ? odiũ potius afferre maximũ.
Tu es omniũ infestissimusq, Quid huc venis?
Jephte. Meliora quaeso nullã iniuriã intuli,
Frater tibi, nec ore nec oculis volens.
Fra: se: Haud frater es, sed turpis imprimis nothus.
Te spurca meretrix peperit, extera foemina.
Jephte. Sunt ista vera, ac ferre moderate decet.
Nam a crimine absũ, tu truces iactas minas.
Fra: iu: Compesce iam furoris impetus, Modum
Seruato. Amicos semper amplecti expedit,
Mortaliũ quisq, hoc piũ munus putat.
Fra: se: Frater hiccine est. Male tu quidẽ sapis.
Odiosa mater quae hunc peperit, ipsũ tu amas?
Fra: iu: Amo parentis filiũ vt decet fratrem
Jephte. Recte loqui par est, Malũ fari improbe.
Quid me agere vis? valeat simultas, Tu preme
Iram, nihilq, mente sceleris concipe.
Frater tibi lubens praesto quaeq, munera.
Fra: se Nugas agis. Tellure mox decedito.
Non hic manere licet tibi infestũ caput,
Nã matre natus adultera. haeres neutiq,
Esse poteris. Turpi generi afferes dedecus.

Inuisus es deo, et hominibus maxime,
Meritrice enim nō odio habet solū deus,
Sed liberos. Teq; execrantur singuli,
Merito. Vetat enim lex nothū esse cōpotē
Hæreditatis. Matre legitima editus
Ego, Tu stuprata. Te creasse in ædib;
Infamiæ patri fuit. Tunc in genus
Totum intulit labem. hanc Solo nunc exiens
Tute alue. Dolore afficis amicos graui.
Verū quid ista? egredere terra patria.
Si abeas volens tum charus admodū tuis
Eris, aliter odiosus, et pulsus solo
Vt exul errabis. Molestiā exhibes
Præsentia. creas dolorem mētibus.
Pluris bonam famam tui generis puta
q; affluere diuitijs. caducæ namq; sunt
Istę, illa longo tempore hæret posteris.
De corporis ui te insolenter iactitas.
Non forte solū tibi deus robur dedit.
Atq; hoc si abest prudentia, misere obruit
Multos. Tibi ista pessime omniū, tibi
Inq; eloquar. Statim effer e terra pedē.

Jephte.

Cum facibus iræ exarserit quisq; minus,
Cæca est ratio, mens errat, et lingua effluit.
Mi frater haud tecū lubet contendere.
Non tam paternū istud solū curæ est mihi,
Quam tu putas. Est patria sapienti quidē

Vbicunq; viuitur bene. Hæredē fore
Triste est metu incerto Æstimo pluris patris,
Fratrū, atq; amicorū benignā gratiam.
Contentio res grauis: adauget lugubrē
Fletū: exigua primū, dein vires capit
Sensim erigens se: postea excelso polo
Figit caput. Jam pereat, atq; assētior
Tibi me esse spuriū. Dedecus nullū mihi est.
Prudenter animo sapere valde gestio.
Quid exprobas genus humile? haud satis probe.
Gratū hoc mihi, primū quiete viuitur,
Exin licet dulcē soporem carpere.
Adest modestia, luxus exulat procul,
Doloris expertem, et metus vitā exigo.
Quod imminet mihi mali nunc explica.
Terra egredi iubes? Voluptatē indicas.
Exeo lubens. Jucundius deo duce
Fugā capere, q; hic cōmorari cū probro.
Hereditatis nunq; erā valde appetens.
Quod spectat huc sū penitus expers criminis,
Tu sceptra terræ huius tene. Nemo impedit.
Prudens in imperio esse debes et grauis.
Libidinū æstus cōprime, probe si cupis
Regere, Quid ista prædico? Mentē iuuat
Vt frater urbem legibus bonis regat.

Natu minor tibi amandus est. Præclarū enim
Æqualitatem colere: quæ quasi vinculo
Colligat amicos inter ipsos mutuo.
Ne negligas fratres. graue est. & nati antea
Alios scindere, tanto oportet te geras
Submissius. Prudentia istud postulat.
Fr. iu. Præclara dictio. Frater irā tempera.
Haud conuenit germanū odio habere acrius,
Communia extant merito amicorū omnia.
Fr. se. Dictū est satis. Quid iam moraris? Cedito.
Jephte. Nullū dānū tibi dedi, quod sentio.
Fr. se. Cum nequam es, affers ædibus dirū nefas.
Jephte. Comitia frustra frater affers. desine.
Fr. se. Infamē in ædibus abdere periculum creat.
Jephte. Tutū est ab exilio innocētem auertere.
Fr. se. Tu viribus confisus admodū es insolens.
Jephte. Tu gloriaris inscitia, patras scelus.
Fr. se. Molestus es. Tibi hic manere non licet.
Jephte. Abeo ergo ne curato. Frater iam vale.
Fra. se. Non tibi ero frater, verba fundis inaniter,
Jephte. Non dico tibi. Ne ferueas bile. huic loquor.
Fr. se. Temere ~~Non~~ loqui haud licet. Hora frustra sumitur.
Jephte. O Patria, o Pater, o Amici, o ciuitas.
Fr. se. Quid ista frustra inuocas? expers eris.
Jephte. Sine me videre Vrbē, priusq; exiuero.
Fr. se. Nunq; assequêris. cedit in vanū labor.
Jep. Ingratus es nimis. Deū testem cito.
Fr. se. Tu numē imploras piū cū es impius?

Jeph: Supplicibus auxiliū lubens affert Deus.
Fr: se Sed iure mortales nefandos oderit.
Jep: At erigit humiles opem facile ferens.
Fr: se Imminuit elatos, superbos deprimit.
Jep: Sunt ista vera, tu ea reconde pectore.
Fr: se Compesce verba, te admoneo iam sedulo.
Jep: Compesco, sed quid hac me agere cupis.
Fr: se Quid multa? terrā linquere iubeo patriā.
Jep: Fiat. Probro affectus, probrū haud retorqueo,
Deus ultor est. nāq; audit ille quae patras.
Oculisq; summi numinis facta aspicit.
Ergo modeste fero, Deūq; deprecor
Pro fratribus, ne quid dehinc subeant mali
Iniuriae huius gratia, veniam Deus
Det. Verū ando: at cū invidia abhorrei grādē.
Iniuria affici melius est q; nimis
Contendere cū amicis. Abeo valete vos.
Res omnibus letus precor. Mater, Pater,
Urbs, atq; amici iam valete omnes simul.
O me miserū acerbo obrutū fato. Hei mihi,
Quo conferam me? Heu vita tristis et aspera.
Desertus ab amicis miser uiuo. Quid hoc?
Annon deus praesto est? qui opem ferat mihi?
Ignaviam indico. cuncta facilia sunt deo.
Satis loci dabit deus qui me addidit.
Quocunq; ducet hic pedē sequar lubēs.
Chorus. O q; instabilis hominū vita,
Qui iam est excel, mox inde redit.
Nūq; constans. sed vagus errat.

Nunc infelix, moxq; beatus,
Flexilis Vt leuis auræ flatus,
Solidū nihil est, cuncta labascūt,
Quisquis opum vim parat imēsā.
Cito profundit, citoq; acquirit,
Jam compos fit patriæ, at expers
Mox eiusdem quisq; in vita,
Non modo neq;, sed bonus unà,
Quis nanq; isti præstat Jephte;
At fratres è lare paterno,
Propè nolentem pepulere procul,
Vereor ne dent pœnas merito
Numine læso.
Namq; affabilis erat erga omnes.
Nocuit nulli, quenq; iudicabat.
Nulli minister, iustus in omnes.
Fortis non sine mente sagaci.
Nothus erat. quid tū? in culpa hærēt
Ambo parentes. vitio ille caret.
Vtinam adesset patriæ adiutor.
Deus omnipotens præsto est illi.
Quis eum hostis nunc Marte lacesset?
Ille vir audax. Deus opem fert.
Bella gerit ille, et Deus animat.
Ope diuina vis adiecta.
Victrix superat: Illius expers
Tristia multos ad fata trahit.
Exul oberrans abit Jephte.

Virq; eximius reliquus nemo
Patriae custos.
Dolor immēsus cruciat animū,
Cum mihi subijt clarus Jephte.
Rigidi fratres, qui hūc trusere.
Illi immites, placidus iste,
Nā de ingratis est bene meritus.
Valeat, pereat, quisq; ingratus.
Gratia gignit, gratiam vbiq;
Fundit fruges tellus optima,
Ingenti cū fœnore semper.
Gratus abunde dona repēdit.
Qui grata tulit, grata remuneret.
Mens ingrata est cuiq; molesta.
Tollit amorem, atq; odiū gignit.
Litis mater, fons dissidij.
Vastat vrbes, perimitq; viros.
Tetrū solers quisq; hoc vitiū,
Musica tristi: illius ex pectore pellat.
Nun: O Galaadite huc citū tuli gradū,
Anhelus aduento· mihi vix curre est· Malū
Fero nūciū· Quid eloquar primū miser?
Cho: Quid est? statim probare· nā scire expeto.
Nū: Bellū graue incendit solo hinc Mars efferus.
Armata turba inuasit oras Patriae.
Nā liberi Amon huc tulere iā pedē,
Scutis operti armis strepentes plurimis.
Robore valent· pro patria incutitur metus.
Vidi modo hostiū manū fusam vndiq;

Campus refulget totus ære splēdido.
Pratūq; murmurat graui armorū sono.
Ita æstuantes arma mutuo induunt,
Contra Israël vastare cupiunt hoc solū.
Prædas agunt, rapidas in ædes iniciunt
Faces. Multisonus aditur clamor. dolēt
Pueri, parētes asperā cladem dolent.
Vbi seniores Galaad. cito his opus.
Cho: Per tempus ædibus relictis exeunt.
Seni: Quid est nūc? dic cito. quid adeo abs re paues?
Nū: Non paueo certe abs re senes. sed est graue.
Sen: Effare. saluus eris, feres damni nihil.
Nū: In pauca conferā. Hostis est in proximo.
Sen: Quis iste? Nū: liberi Ammōnis terrā Israel
Exercitu ingenti occuparunt. Vndiq;
Turma obsident. properate, firmas copias
Cogite. Ego abeo. nā cuncta paucis rettuli.
Sen: Mētuo admodū, pro Jephte ne pœnas deus
Irroget. opus iam est mēte ad hanc rē prouida.
Iustus fuit. fortis, et amator patriæ.
Nemo relinquitur soli dux inclitus.
Quid facere nos mones? silentiū excute.
Se: al: Consilij inops sū, huc animus illuc pellitur.
Vt naufragis maris profundi fluctibus.
Agitata nauis voluitur, nec consequi
Portū valet: Sic mens in ancipiti loco
Sita, varie torquetur, nihilq; certi habet.
Dux nullus est, qui copias ductet probe.

Exulat Jephte, nemo reliquus praepotēs.
Accerse q; mox illū ad aedes patrias.
Non licet. ob exiliū haud reuertit denuo.
Ingrata passus grata rursū conferret?
Minime. Vetus dictū est Manus manū fricat.
Sen: Fratres nefandi qui istud edebant scelus.
Nam patriae exitium intulere nefariū
Illi impii in deū. Iste cū primis pius.
Ast patriam seruare nolle, est improbū.
Accire oportet ocyus Jephte domū.
Cunctatio absit. placidus hic. Iniuria
Affectus, haud rependet. Pro malo qui sit bonus
Minime dabit malū: sed hostibus bonū
Persepe deferet. Superno numini
Acceptius nihil est q; ut aequo animo ferat
Quisq; sibi dāna illata, cū ipse sit innocens.
So: al: Impediet ira quo minus robusta mens
His praestet. Animo cedit, oblitus dei.
Frustra loquere. Mortalis hic cū sit, truci
Affectuū aestu incenditur, quē non premit.
In patriam hunc reuocare inanis est labor.
Audes me compellare? Bilem concies.
Nāq; ista dicet. non tenetis memoria
Contumeliā factā mihi? Ingens patriae
Me cepit amor, at iā lubens ea vaco,
Gratū esse oportet cū tuli ingrata? Haud erit.
Comprimite verba. nō potestis assequi.

Me ex patriis trusistis aedibus procul.
Jam in satis assentando verbis mollibus.
Abite rursus mox domum voti impotes.
Scelus scelestis saepe fert incommodum.
Puta ista velle illum loqui iure optimo.
Stultum est laborem rapere temere. Hic sentio.
Sen: Similia veri effers. Sed ille in patriam
Erit benignus si male afflicta audiat.
Se: al: Gaudere vult potius malos male affici.
Volupe est videre hostes mala clade obrui.
Sen: Pressos ubi accipiet parentes miseria
Graviter necesse est ferre gratum filium.
Se: al: Non fratribus nefariis opem afferet.
Sapiens nihil faciet boni stultis lubens.
Sen: Non solum in istos grata gratus conferet,
Sed patriae, et deo hoc dabit beneficium.
Se: al: Non patriae huius est sibi cura alteram
Habet, et illam magno amore complectitur.
Sen: Non praeferet, certo scio, alteram huic volens,
Naturae enim sic legibus resisteret.
Se: al: Quid interest? satis loci est prudentibus,
Nam tellus omnis chara forti patria
Sen: Ubi quisque natus est, ibi morari expetit.
Profugis loquendi haud est potestas libera.
Se: al: Prudentibus clara licet quaeque eloqui.
Nunquam sagacis lingua facile labitur.
Sen: In patria honoris potius est gradum assequi.
Nam quisque probus hoc admodum desiderat.
Se: alt: At res molesta honos, gravis cum insit dolor.

Fuga melior quã felle mixta dignitas,
Sen: At patriae egenũ quẽquã tecto licet.
Se:al: Verbis tamen nostris minime habebit fidẽ.
Sen: Dei volo iurare numen praepotens.
Se:al: Fratrũ turpis obstabit simultas plurimũ.
Sen: Chari parentis amor valebit plus, scio.
Seal: At dextram arcebit pudor admissũ scelus.
Sen: Oblivione iam furor mente excidit.
Se: al: Hanccine pater puerum sinet irã flectere?
Sen: Si sapiet. etenim bilis amẽtẽ medicat.
Se: al: At timidũ aperte denotat remedia.
Sen: Modestus irae temperabit fortiter.
Se:al: Verũ ira mentis perpetuũ ut stimulos ciet.
Sen: Ardere nimio aestu vir haud solet pius.
Se: al: Non sinit inceptũ se esse prae verecundia.
Sen: Deo remittet vindici poenas lubens.
Se: al: Si placet eamq; tu fer hanc victoriã.
Sen: Precor deũ ut monstrat viam iã cõmodã.
Se: al Una precor tecum. Deus votũ expleat.
Sen: Nosti viam, q̃ nos oportet ingredi?
Scal: Minime senex charissime. mihi tu indica.
Sen: Refert nihil. nam dux viae est nobis deus.
Se:al: Ne sit mora. properemus. instat calamitas.
Chorus. Isti iter capere iam.
Vos mihi adsitis modo.
De his oportet colloqui.
Vir potens non absolet
Illico iram ponere.
Mitis ille, Quid prodest?

Carmẽ trochaicũ
Dimetrũ Catalechticũ

Non libenter desinet.
Patria est charissima.
Non tamē fratres amat.
Qui expulere isto solo
Odit hos iure optimo.
At dolet patris vicem.
Nec minus matre dolet.
Haud amicorū immemor
Est, tenetq́ patriam
Mente voluens sedulo.
Ergo hunc horā gratia
Conferat gradū breui.
Hos reducere hunc mihi
Spero, si deus velit.
Sed quid ista praedico?
Conuenit magis preces.
Fundere aeterno deo.
O deus seruator, haec
Vota nobis perfice.
Crimini ignosce. error est
Omnibus mortalibus
Peruius. sed tu quidē
Solus expers criminis.
Plasma clemens aspice
Propria effectū manu.
Culpa nostra maxima.
At tua est clementia
Maior, infirmi adsumus
Ad tribunal numinis
Praepotentis. Accipe
Vota. plebem respice
Clade vexatū graui.

Ne sinas irrumpere
Liberos Ammon in has
Patriæ oras Israel.
Nos tuere o rex pie.
Ne tuũ vultũ abstrahas.
Nos oves sumus tuæ
Pascuæ. Tu providus
Pastor es nostri gregis.
Solus es custos potens
Pertimescimus lupos.
Qui inter ovilia irruunt.
Tu leones pellito.
Pastor ex septo procul.
Nunc ad veterem mox reduc
Fortẽ Jephte denuo.
Flecte mentẽ concitã,
Et ducem illũ patriæ
Redde nobis providũ.
Vir gravi in pugna valet
Plurimũ, si adsit deus.
Robur atq; hoc unum res.
Mox Jephte ad nos redi.
Ad solũ Israel redi.
Ad tuos charos redi.
Patriæ custos redi.
Quid video? mirabile
Monstrũ. An hic est filius
Galaad qui aspectui
Obtulit se Jephte? Is est.
Sit deo laus atq; honor,
Qui reduxit integrum

Hunc ad aedes patrias
Gestio nunc adredū.
Magna spes mētē occupat.
Ammonitis pedē impiam
Nox dira acrē necem.
Cui deus numē sacrū
Fert opem: victoriam
Hic reportat, et decus,
Qui deo duchante init
Triste praeliū libens
Haud feret cladē. expedit
Ergo belliū fortiter
Jam capessere, et grauē
Pellere hinc metū procul.
Israel praesto est deus.
Ille vincet praelium.
Nam Dei adiuncta manu,
Cuncta prospere cadunt.

Jephte. Tandem ad patrios lares refero gradū. Iambicū trimetrū.
Saluete amici. Huius soli iam particeps
Vobiscū ero rursum. Ecce dux exercitus
Fidelis adsū, contra turmas hostiū.
Ponite metū, vis valida summi numinis
Vincere solet. Jam capite summos spiritus.
Incendite animos. causa mens in praelio
Multū valet. Spes omnis haud mortaliū
Vi, sed dei virtute nititur. Hic enim
Solus in acerba Marte dat victoriam.
Dei potentis qui resistat numini?
Sed nuncio est opus Ammonitiā ad liberos
Tu curre cito, talemq; sermonē refer

Miror equidē quid exercitus contra Israel
O Rex. nihil damni aquidem a nobis datū est.
Quae causa pugnandi tibi contra hos solū?
Iustus deus delere nos ne accesseris.
Sed proprijs semper quiesce, hoc cautius,
Quicunq; saevi praedij est cupidus nimis
Atrox dei incitat odiū idq; maxime hoc
Patrans sacri iuris soluto vinculo
Si viribus vastare terrā istā cupis,
Paratus adsū. opemq; mihi dabit deus.
Pax melior est q; pugna cū victoria.
Depone acerbum si sapis belli impetū.
Verū optio datur dimicandi libera,
Vel contra. cedere tu. Excede pedibus morā.
Et ista dic vere admodū proli Ammonis.
Nun: O Rex tua iussa exequi volo lubens,
Quid est opus verbis? gradū cursim ferā.
Jephte: Nunc o senes consilio egemus provido
Exercitū ne cogere undiq;, an moram
Facere expediat ad nuncij reditū. Antea
Prospicere mente futura sapientē decet.
Post facta consiliū petere stultū arguit.
Sen: Ais probe. nō est tamen opus rē aggredi
Tam cito. Potes magnas statim hominū copias
Legere. Ammonis responsa prolis excipe.
Primū deum consiliō inito quid decet
Agere. Laborē ne temere adeas. Breui
Domū revertet nuncius verba adferens.

Ex quibus aperte intelligas quid exequi
Oporteat, Abi ad urbem interim, atque publicum
Edic senatum. tum loco amplo muneris
Sceptra cape regni, et clara serta principis.
Haec namque praemia magna censeri solet.
Jephte. Sint ista. Ad urbem propero quam mox ô senex
Cupio parentes cernere et amicos nimis.
Vultus paternus liberos multum iuvat.
Urbs propria voluptate mentem permovet.
Idque exulem imprimis, diu qui patria
Caruere. Sequimini me ad urbem mox senes.
Sen: Fiat. pedem ad amicos amicus iam refert.
Cho: Nunc ad parentes charus Jephte revertitur.
Eius reditus est gratior nuncque solet
Multo, diu cum a patrio lare abfuit.
Absentia auget cupiditatem pristinam.
Nu: Ubi rex? ut ista mala audiat. cito dicite.
Ubi sit locorum rector huius patriae.
Cho: Abiit in urbem hinc ad parentes proprios,
Sed quid opus est celeri gradu? quid cursitas?
Rex graditur extra famam tecti modo,
Nu: Rex tua iussa complens domum ac totum adeundo.
Postquam ad nefanda advenio pignora Ammonis
Tua verba proferens, tyrannus aestuat
Animo, metus per membra serpsit corporis.
Furebat ille leonis instar horridi.
Mandata vix tua audeo, ô Rex proloqui,
Linguam inhibuit timor: obstrepuit animus nimis.

Tandem tua verba effero fidēter, furor
Uiri occupat. Vix voluit audire insolēs
Responsa demū ægre superbus extulit.
Quid inuita memoro? pertinax penitus negat
Omnia tenes. proba consilia tu iā cape.
Pericula magna pre foribus adsunt modo.
Dixi Vale. Ne me remittas deprecor.
Jephte. Quid hoc? Deū haud veretur insanus male?
Contra Israel fert arma fretus viribus?
Mortalibus fisus? Deo spreto advenit?
Demens nimis, qui mente valeat hoc sua.
Pendebit idq; mox seipsum prodere,
Vincit dominus. In cassū animo inhæret metus.
In robore hominū qui salutis spē locat,
Huic calamitates invehuntur cœlitus,
Adiutor est in prœlio nobis Deus.
Sitis bono animo. Ne horror artus occupet.
Verū quid aggredimur, capere arma iā expedit?
Mittere legatum denuo est præstantius.
Fortasse consedit viri furor, et cupit
Iam fœdera adversū Israelē iungere.
Firmare pacis vincula ~~vincula~~ absq; sanguine
Sapientis est. Proficiscere et renuntia
Hæc filijs Ammon palā ab Jephte illico.
Si vult pacisci inducias, dein providus.
Socios habebit qui ferant charos opem.
Atq; illud optimū est. Datur nunc optio
Soluta agendi hoc vel secus. De his cogitet.
Ammonii. Nihil nostra interest. permittimus

Causā deo, quicū omnia eueniunt probe.
Ad Ammonis prolē referto nuncium
De quo ille consultet. mora absit. aduola.
Bona fide omnia dicere expedit tibi.
Ne pertimescas. dominus ad manū est. Teget
Te brachii umbra contra pignora Ammonis
Nū: Abi statim, atq3 languidū amoue metum.
Dicto tuo obsequi decet quidē, et volo.
Formido multum. mens inhorrescit nimis.
Sed spes mihi est, praesto esse patronū deū.
Abscedo iam. q3 mox reuertere expeto.
Jephte Heret animus. quid facere primū conuenit?
Exercitū immensū statuo mox cogere.
Ut singuli firma induant arma impero.
Namq3 his tegi expedit, anteq3 meas praeliā.
Jlle arma contra ferre non vult forsitan,
Frustra laborem capere sic plane accidet.
Tamen istud est ad bella multo cautius
Jn promptu habere cuncta. sic prudens facit.
Cho: O Rex decenter verba facis prouida.
Obeunda quaeq3 quae locutus es modo.
Futura praeuidere consultū puto.
Edicito omnibus palā, arma Martia
Ut cōparent facessat hinc, omnis mora,
Ne irrumpat hostis in solū anteq3 audias.
Certo scies breui quid aggredi visus est.
Retro legatus concitum q3 mox gradū
Feret. Jnterim belli apparatū posside.
Sic nihil ab hostibus mali instabit tibi.

Jephte. Dementis est post sapere, per tẽpus sape.
Recte mones. Ab hostibus vinci pudet.
Soboli Ammõnis iniuriæ nihil intuli.
At illa in hanc terrã graue patrauit nefas.
Vindicet deus. queror casũ asperũ.
Stultorũ et imprudentiũ. quã acerba res
Est arrogantia. Inficit animũ nimis.
Temore superbi Ammonis proles tumet.
Prestaret astus cupiditatum extinguere
Ne sceleri conspersi graues pœnas luant.
Qui lædere studet, ipse sæpe læditur.
Cho. Aut lumina haud rectè tuentur, aut venit
Legatus, Approperat. Aliquid affert noui.
Nú: Multũ viæ triui breui adeo tempore,
Vt verba mox cognosceres ab Ammõnis
Prole. Ira acerba mentibus firma insidet.
De fœdere omnis sermo vanus. Vendicant
Telluris huius partem. Atrocis occupat
Illos amor belli. Deũ Israel probris
Lacerant. facile sperant solũ hoc se euertere
Cum res secundæ iam affluant, Ammõn nimis
Se effert, superbè loquitur, at parũ sapit.
Hostes minatur quosq; mactare illico.
Magnũ apparatum ad prœliũ instruit, mori
Pro patria liberos cupit. Timidos vocat
Nos vt lepusculos, Trophea hastæ inclita
Auferre se ait, atq; opima abducere
Spolia cadauerũ. Deũ Israel impiè
Fastidit, Infestos deo, at miseros vocat

Jephte.

Nos. Despicit penitus, locutus sum omnia.
O improbi Deū malis onerant probris?
Mortaliū vi freti in Israel ruunt
Belli gerendi gratia? male sapiunt.
Exercitus cogendus est in tempore
Edicito ocyus impero, ne instet prope
Clades. Egemus apparatu plurimo.
Praestate vos viros, hebescere est nefas.
Dei manu quae cuncta propulsat mala
Bellū gero. Hic strages repellit asperas.
O summe pastor adiuua clemēs gregem.
Abige lupos procul exteros a caulibus
Populū aspice miserū. Vndiq; tege sepibus.
Omnium omnipotens doma hostes. Sub manus
Trade, atq; humi prosterne, solus es dator
Victoriae. Votū voveo, si iam Ammonis
Prolem in manus dederis meas, ex aedibus
Quisquis revertenti obuiam primū exeat.
Tibi o poli rector dabo hostiam lubens.
Votū expedi, victoriam facilē dato.
Nomine tuo bellū gerimus arduū.
Celebrē triumphi statue laudē. concede
Hostes metu, et nostro iniice vires pectori.
Aufer timorē, et tribue confidentiam.
Fiasq; noster dux, et accipe debitū
Decus. Intuere patriae plebē precor.
Tu potis es, homines posse clemens efficere.
Vis namq; nostra pendet ex vi numinis
Tui. Obtege umbra brachii. adsis Israeli
Adiutor. In te spē locamus splendide
Victoriae. omnes sequimini, una adsit deus.

Cho. Bello vincere prospera res est. Carmē anapesticū.
Animū mulcet, multiq; iuuat.
Spes bona menti firme infixa est.
Hostes cadere brachio Jephte.
Quisquis in armis ope diuina
Nititur, isti prospera cuncta.
At qui proprio robore fidit,
Temeritate euictus refugit.
Arma requirit pugna cruenta
Eget equis, et curribus vna
Istaq; prosunt.
Verum vt ratis in viridi ponto
Expers claui voluitur altos
Ad scopulos, atq; elisa meat:
Sic exercitus absq; deo duce
Facile vincitur in Marte graui.
Absq; auriga currus oberrans
Ruit in praeceps.
Pastore carens grexq; vagatur.
Hominū robur sine ductore
Facile impingit.
Princeps noster deus egreditur,
Corpus militū operiat firmo,
Qui bella gerunt pro lare patrio.
Quam terribile est certare manu
Cū pervalido luctatore.
Bellū grauiorē horrorē iniicit.
Nā cū in discrimen vita vocatur,
Vita dulcius aliud nihil est.
At vitam adimit cito Mars atrox.

Exitus anceps rigidi belli
Ad quē recidat.
Mæror mentis manuūq; labor
Omnibus accidit ex truce bello.
Sed cū iuste suscipiatur,
Et pro patria sit pugna grauis,
Tū perfacile est vincere cunctos.
Bona res bellū si iure meas.
Sin secus æstimo pestiferum.
Nun: Saluete seniores, ad ędes nuncius
Gratus venio. Vicere copiæ Israel.
Cho: Verū ne dices? quid adeo properas pede?
Nu: Ut nunciē primū. hoc quidē est iucundius.
Qui nunciat primus bona iste maximā
Fert gratiam. Postq; pregnāti exercitu
Excessimus terra: A duce capit tesserā
Quisq; Exin arma liberi Ammônis induunt.
Egredimur ex aduerso in aciē singuli
Statim. Arcubusq; primū et hasta missili
Confligimus. Clanxere filij Ammônis.
Hostibus acerba impressimus mox vulnera
Ut turbo cū strepitu in eos erupimus.
Clypius clipio adhæret, galea galeæ, virū
Vir munit, hasta sepit hastā firmiter
Plagas crebras incussimus ense æreo.
Præcipitis instar omnis effluxit cruor
Ex mortuis. opem tulit semper deus.
Ingens citatur clamor in bello arduo.
Ut vastus in medios leo insilit boues
Veloce consectans gradu prandens vorat,
Dentesq; acutos sanie spargit tabida,

Et viscera lacerat auidus, et colla obterit:
Sic Ammonis turmas cruore, Jephte atro
Perfudit. ad terrã supini concidunt.
Multis gulã transfodit, erupit cruor.
Humi ruunt ad terrã anhelantes necẽ.
Tũ palpitantes misere, acute perstrepunt.
Vbiq; mortui aggerantur mortuis
Pugnæ locũ exanguia replebãt corpora
Disiecta sparsim membra humo adiacẽt.
Alto ex olimpo grauiter intonat deus.
Hostes fugam ornarunt pauore præ anxio,
Potente sub manu Israel domiti iacent.
Velut ouium grex sparsus a lupo fugit
Sic copia Ammonis ab Jephte prorũpunt
Fusa. Illaq; insectatur a tergo ocyus.
Funesta clades hæsit extremo agmini.
Miserabilem luctũ excitant per ordines.
Heu, heu sonarunt mutuo omnes acriter,
Ac vulnere inflicto unde quisq; tulit graue.
Alius in ore, aliusq; viscera ad pedes
Extracta habuit, alius manu orbatus ruit
Pede amputato alius iacebat, vulnera
Habuere cuncti. Tandẽ ad vrbes venimus
Viginti, in agrũ Mennith vsq; ad Aroer
Illasq; septas aggere intus vndiq;
Euertere obsidione conati sumus.
Vastare stirpitus deus mandauerat
Primũ ligone, et igne rapido iusimus
Excindere faces, sparsimus crebro igneas

Vulcanus ardens occupat flāma domos.
Ater ad Olympū fumus ascendit citò,
Splendor per aetheras lucidū longe emicat.
Plerisq; mens gelido timore inhorruit.
Clamor erat ingens mulierū atq; liberū.
Vae vae strepebant, quò ex nece aufugere licet?
Proles parentem conspicatur ingemens.
Ut caerulea aqua concava ex petra effluit.
Sic liberi fundunt amaras lachrimas.
Ex moenibus ruunt gregatim singuli.
Ut mellifera apū examina volant p globos:
Sic sobolis, et matrū frequens turba exilit.
Prostrare se abiecte ad pedes exercitus,
Vae querula gemunt gratia frustra appetūt.
Nā iussit aeternus deus gladio truci
Mactare. flos pubis tenellae aere aspero
Abraditur. mens caetera horret proloqui.
Heu. q; misera res praeliū est mortalibus,
Populatur urbes inclitas. claros nece
Domat viros. summi est flagellū numinis.
Serò deus nefanda scelera vindicat,
Poenas tamē adauget magis dilatio.
Cho: O deus misericors noster,
O sempiterne qui caelū colis, carmē choricū
Tu vita tribuis tu a mortuis Mixtū.
Suscitas, tu beatus solus,
Tollimus ad caeli polū manus,
Nominamus te sanatorē
Miseriae plurimas
Possidet clades
Pugna. Has tu lenis.

Sit tibi decus per cuncta saecula.
Tu quidem victoriae triumphum tribuis
Robustos infirmas, validos deprimis.
Hunc quidem adaugeas, alium sternis demum.
Gratias tibi soli agimus
Summe deus pro victoria.
Nostra vis haud multum valet, tibi
Cuncta sunt facilia.

Jephte. O summe creatorum, omnis tu salus es.
Ab omnibus mortalibus victor malis.
Quam facile morti tradis hostes. Gloria
Soli tibi sit, et splendor magnus perpetuus.

Filia. Salueto pater mi. salutem opto tibi.

Jephte. Heu, heu.

Filia. Quid fit pater? quid vultum amoenum divertis?

Jephte. O filia. o dolor doli expers. hostis mihi es.

Filia. Ego me fraudi sum tibi? absit hoc pater.

Jeph. Tu recte predas callide tendis pater.

Fil. Heu, heu, pater. profare quaeso apertius.

Jeph. Heu perdidisti iam parentem filia.

Fil. Egone parentem istam? numquam mi pater.
O maximum decus mihi, o dulcis parens.

Jeph. Non tu lubens agis patri charissima,
Invita tamen sola facinus edis filia.

Fil. O optime, haud quicquam scio, tu dic palam.
Quid hoc mihi inmerito nefandum obijcis scelus?
Gesti pater. deus dedit victoriam.

Jeph. Ab hostibus victoriam at de te fero
Cladem, Dolor vide. gravia sub eo malis.

Fili. Heu, heu misera. quid audio abs te mi pater?
Nihil mali feci. loqui melius decet.

Jephte. Heu. hei mihi, orbus sum miser iam liberis.

Usq; ad necē aerūmis acerbis opprimar.
Dixere me beatū, et hanc terrā Israel
At falso: erā namq; in miserijs editus,
Et ad diem lethi asperā vitā exigam.
Heu, heu.
Filia. Quid foeminae instar lachrimis vultū rigas?
Mens strenua laudi est: moerorem affert dedecus.
Ieph. Me ista cruciant, quid moliar? quid exequar?
Fil. Quid agis pater? hoc mente tege. profer pala.
Ieph. Sine me. hostiā sacrā altico offerre expedit.
Fil. Hoc est piū, Tecū offeram vnā victimam.
Iep. Esto. hoc opus cum sacrificis decet exequi.
Fil. Exporge frontem. quid gemis frustra pater?
Ieph. Ponderatur effata excitas luctū magis.
Fil. Incepta proferens potius animū recreem.
Ieph. Nisi sapere tantū, haud dolor tantus mihi.
Fil. Proles sagax mentem parentū recreat.
Ieph. Verū est, si alterutra exacte maneat.
Fili. Quid praedicas mortē? Nori me morē pater?
Ieph. Pertriste verbū ô gnata. Miseret me tui.
Fil. Omitte lachrimas. Victima vnde suppetit?
Ieph. Ne quaere. adest. Non inferre puellas decet.
Fil. Ne mea isti celes-te: fidem silentii.
Ieph. Fari metuo. ne luctu irritam pectori.
Fili. Iam voluptatem adferes magnā mihi.
Ieph. O filia, ignoras mali quantū imminet.
Fil. Celando maiorē incendis cupidinem.
Ieph. Mulier quidem es. Tuū malū audiras expetis.
Fili. Mortē ne dicis? peius haud potes loqui.
Ieph. Leue hoc tibi est, tuis tamen amicis graue.
Filia. Dic iam. nihil formido praeter dedecus.

Jeph Robusta mens in pectore inclusa est tibi.
Fil Haec est decorum sensa, cur non exprimis?
Jeph Aliquem necesse est pro patria causa mori.
Fil Haec universae carnis est patens via.
Jeph Pulchrum mori natura. at cave dedecus.
Fil Quonam modo haud refert Deo si morte obeo.
Jeph At turpe ferro occidere puellam aspero.
Fil Pater quid hoc? precor ne vis pergi dare
Jeph Heu, heu miser dura tibi caede infera.
Fil Feci nihil. Nefas perimere innocentem.
Jeph O chara. colla tenere cogor spargere.
Fil Hoc non paternum est. impium nimis scelus.
Jeph Invitus ago. tamen agere impellor miser.
Fili. Necessitati cede. quin causam refer.
Jeph Ego quid exquiris? Dies haec lugubris.
Fil Tu vota cruenta edes manu caede tua?
Jeph Votum quidem mactare cogit filiam.
Fil Voto obligasti te hominem an aeternum deo?
Jeph Deo miser. Praestareque huic votum decet.
Fil Mitte lachrimas pater. voluptate inducas.
Jeph O filia. O maestum afficiens luctu patrem.
Filia Quid est? soleo deo libenter obsequi.
Jeph Pulchrum hoc tibi. at mihi magnum malum.
Fil Num victimam deo immolare fert mactare?
Jeph Minime. Sed certum liberum fieri est grave.
Fil Quin planius causam explica tandem pater.
Jeph Fiet. Prius, quam ingrediar aciem praelii,
Os aperui ad deum Israel. Victoriaque
Cessa. Vouens votum fidem explendi dedi,
Quod quisquis exiret mihi obviam ex domo
Primus revertenti, hunc exhiberem victimam
Pro patria domino. Misera tu contra fores
Primum mihi gradus. heu calamitosam diem.

Cui oculis meis offert albentes genas.
Vultus amabilis. Miser ego heu heu miser.
Vitalis haud vita est, tui expers filia.
Perit voluptas quaeq; mihi iam clanculū
Quam triste rectricē familiae perdere.
Tu sola namq; temperas nostros lares.
A cura ego absū. Sedulo tu prouides
Pro patre. Semp alterna tu charissima.
Praesente te famuli ad opus se conferunt
Cito, abditi intra parietes domesticos.
Valde ad laborē aspectus incitat tuus.
Si quis foris menti incidat maestus dolor.
Domi tuo vultu venusto decoquo.
Tu miserias leuis senectā tu regis.
Tu dux vitae, coecae lucē das pedi.
Non aliā habeo quid conor infelix miser?
Orbū esse amicis triste fert incomodū.
At liberis carere cor edit funditus.
Ego ne mortē conspicer tuā miser?
O tristitia mihi. o stimuli acerbi pectoris.
Quā tu es beata pulchra soboles, qz grauis
Est orbitas. o gnata praestas corporis
Forma, at magis virtute polles inclita.
Quo molior eo quidem, eo magis patrē grauas.
Luctū augeo hoc memorans. placet silentiū.
Nū praepetēs numen Dei menti excidit?
Fidē dedi semel ergo praestabo libens.
Votū deo sapientis est persoluere.
Vix dicta manus, et rigida simul spe exequi.
Tamen patiandū est sic iubet necessitas.
Deo obsequi potius decet. qz proprio
Animo. Mihi o gnata veniā da. funditus
Facio. Heu pater assecutus malis quaere hūc fera

Casu. solet em̄ usus valere plurimū.
Heu heu sine aspectu tuo haud licet me vivere.
Fi. Dolorem acerbū oculis pater iā conspicor
Te lachrimantē ut parentem. Hoc olim quidē
Vitio dari iussū est tibi. Te collige.
Ne quis pater segnē hanc videat ignaviā.
Fletu genas rigare forte dedecet.
De me dolor nullus, nec opto vivere
Cruciat magis vultū paternū cernere
Salsis madere lachrimis. Iam desine.
Senecta tua curae est mihi admodū pater,
Quis nutriat. Namq; hoc deus proli iubet
Ut suam senes curet parentes sedulo
Occludat oculos morientis, ut congruū est.
Tumulo decenter condat. Istud convenit.
Nā maximū hoc est mortuorū premiū.
Prolē creare a coniuge alia ut potes,
At te per exemplo aliū patrē haud mihi assequi
Licet. Dixi tu seuêra. luce ista pater.
Durā necē pro patria amplector lubens.
Deo mori praestat qm̄ hic honeste vivere.
Caedis libenter do pater veniā tibi.
Ter est beatus qui deo vitā exhibet.
Namq; ista mors, vita est secura pfrui.
Quin me beatā iā admodū plane aestimo.
Si grata propter patriā sim victima.
Mors dat nihil mali, potius affert [illegible] bonū.
Nam homines acerbis miserijs cito liberat.
At nuptiis carere fert luctū gravem,
Et seminis nihil relinquere in Israel
In plebe saepe habere dedecus solet.

Fiat tamē quod optimū visū est deo.
Sine me duos menses ad altos scandere
Montes, vt illic virginitatem defleam.
Ciebo tristes cū sodalibus meas
Sine mi pater. Hoc namq; flos aeui expetit.
Quā mox redire statuo ad aedes denuo.
Famula sequimini. Iter iā oportet ingredi.
Vale pater, valeatq; chara ciuitas.
Jephte O filia, ô vita, tribuite amarū osculū,
O nitida pectora, atq; candentes genae.
O gnata luctū fers parentibus asperū.
Properare quid opus est? ne abi. fletu leua
Mihi. quid infoelix agam? Mane, Mane.
Fil. Ne lugeas pater dolorem augens iniquum
Valde, Mulierem haud triste flentē cernere.
Virū tamen luctū edere est miserrimū,
Abire sino. cunctādo tristitiā fero.
Iterū vale. quid necto frustra iā moras?
Cunctātio haud cladi remediū porrigit.
Abi domū, ne populus cernat hoc pater.
Jephte Inuitus abeo. Tu vale charissima.
Fil: Heu heu parentes vos lamentor plurima.
Immensa mala in aedes ruere patrias.
Misera ego sū proles senis miserrimi.
Ordire luctū chara socia lugubrem
Quo genere fletus nos decet iā conserere.
Nam virginalē florē oportet plangere.
Prole orba sū. Expletur voluntas numinis.
At decus mihi est, habet laudem, genus
Augere sobolē enī seruare mortalibus
Affert decus, sed hoc mihi non accidet
Miserae. Moriar ignobilis ego. Heu perdita.

Vos viuere Socię est necesse superstites
Longū iter oportet me capere mox illuc.
Vobis videre hanc prosperis lucē datur.
Verum mihi miserę caligo crassa adest.
O Parca dura, ô vita tristis, horrida
Mestis repente cladibus prosternimur.
Sū virgo tenera, innupta, liberis carēs.
Ad pallidam haud matura morte protrahor.
Fortunae acerba cantio incipit Hei mihi.
Merendo tamen adaugeo planctū, heu mala.
O misericors deus. Asperū luctū exime.
Adiutorē in mediis doctrine fias mihi.
Accedo supplex genibū complectens tua.
Vulneribus hisce insperge mollia pharmaca.
Nam spes salutis solo inest in te mihi.
Tu sponsus es, tu liberi, atq; tu pater.
Tu vita, tu lux, tu omnium vice geris.
Tua in manu sū. quod placet tu transige.
Montes ad abruptos leuemus iā pedem,
Charae matrices illico. adsit mors mora.
Nam illic satis merores assequi licet.
Nimis pudet lamenta acerba hic fundere.
Lugendo, credo, luctus illic desinet.
Nam tempore est planctus amari sacietas.

Cho: Carmē Anapesticū./

Quam cogit animū mors terribilis,
Quando in florem tenerae aetatis
Subito invasit.
Praematurā forma eximia
Et praestanti mente puellā
Amputat istam.
Dolor immensus occupat animū.

Sn Augustino in quest. ex voto Jephte

Pro hac specie splendente puella.
Animus varie mihi distrahitur.
De istoc voto [illegible] recte.
Os dux noster domino [illegible]
Fortis Jephte.
Est grave factum hoc, [illegible] vitio.
Namque in Jephte [illegible]
Spiritus irruit ante duellum.
Hostes vicit victorque redit.
Hic dei amoris maximus index
Est in Jephte.
Sed triste nefas ut redeunti
Prima parenti propera nata
Obvia fieret. Damnum hoc aliud
Monstrat quod dicam arguere grave est.
Abraham domino sobolem charam
Mandanti obtulit.
Verum immisso Numinis iste
Illud obiuit.
Attamen aliis est exemplar
Haud imitandum.
Gaudeat imprimis iste triumphans,
At mentem premit ipsa puella.
Quisquis prudens prius expendat
Quia vota meat. Nam explere decet.
Promissa deus quaeque exposcit.
Consulto animo suscipe votum,
Susceptum exple sine tristitia.
Decus immensum quodque meretur
Prudens votum, temnere sanctum
Dedecus affert.

Vxor.

O misera victoria graves clades ferens.

Utinam mihi nunquam accidisset perditae.
O Filia tu Matris levamen unicum
Penitus periisti. vita chara iam vale.
Sine te voluptas nulla vivendi amplius.
Cur sanxit hoc votum pater nefarium?
Placare censet hoc modo numen dei.
Vehementer errat. haud deo est gratus cruor.
Qui liberos perimit, male hunc odit deus.
Sed ecce tristi fronte vir fert huc gradum.
Quid cogitas tacite mihi claro explica.
Jephte O chara coniux, funditus perij. heu miser.
O lux miserijs plena. quando os ad deum
Haud rite pandere. Deo nunquam haud placet
Pro victima chara mactare pignora
Votum dicatum frangere haud fas est mihi.
Dum mente gemitus volvo curas occidi.
Aut filiam mactare oportet, aut deo
Resistere. Optio haec mihi datur ardua.
Ux: Heu mihi. quid exequar miser? Coniux refer.
Consilij nihil adest misero mihi. Attamen
Servare prolem moneo. Habes sententiam.
Jeph: Explere factum praecipit votum deus.
Ux: Non est. parum recta loqueris. odit deus.
Jeph: Merito tamen requirit, ut votum geram.
Ux: In re bona. sed hoc videtur improbum.
Jeph: Quid pulchrius quam offerre victimam deo.
Ux: Non expedit servator, hominum corpora.
Jeph: Fidem dedi quam solvere haud licet mihi.
Ux: Licet, iubet nulla lex ut impleas.
Jeph: At ratio iubet, et obsignata foedera.
Uxor: Mens horret, et prudens dei obsequium negat.

Jeph: Demens es Uxor. Pacta flagitat deus.
Uxor: Deus haud iubebat. Temere enim promiseris.
Jeph: Non temere. at ob victoriam istud edidi.
Ux: Victoriam sine hostia dedit Deus.
Jeph: Haud istud infectū esse possit. Desine.
Ux: Primogenita redimi aliis iubet hostiis.
Jeph: Perficere votum oportet. hoc mandat deus.
Ux: Prudenter mutatum censeo, at tu insanus es.
Jeph: Coniux abi. tu mente valde desipis.
Ux: Tu potius. Abscede propere mi vir domū.
Jeph: Vanus labor. Redimere filiam haud vales.
Ux: Heu, heu Misera. crudelis in prolē es parēs.
Jeph: At obsequens deo. Hoc puto praestantius.
Ux: Verū in tuos prae mentes, dura es impius.
Jeph: Jam mitte. Bilem concitas et lachrimas.
Ux: Cunctis dolorē tu. Puellae parcito.
Jeph: Non erit. Ad aedes gradere coniux illico.
Uxo: Heu filia, heu. Parentis animus iā fuerit.
O chara lumina, o caput charū. occidi.
O triste facinus, o dies, o mors gravis.
Amabilis proles parētē interficis.
Sobole orba ero. quis casus est acerbior?
Heu perdita. O optata mors propere adveni.
Cupio mori, non vivere licet amplius.
O emicans solis iubar,
O chara proles tu Vale.
O parca. Nunc eo domū
Cito. Heu malū haud ferēdū.
Jeph: O digna planctu calamitas. Ingens dolor.
Primū, perit filia. peritq; uxor simul.
Utriq; mors acerba praeter spē obtigit
Nam alterā perēmi ego, alteram dolor
Tradet neci. sic interimus singuli.
Foelicitas victoriae causa adfuit
Modo. At dolorē affert vicisse flexilis

Fortuna · quaeq; res labant mortaliū,
Nunc pullulant. mox conse[illegible]ruunt funditus.
Ut illico viridia gramē aurae flatibus
Marcescit: ita res quaeq; tempore occidunt.
Firmū nihil sed cuncta labuntur cito.
Quid agam? aut magis quid non agā infelix modo?
Pes haeret in via ardua. quo me feram?
Stringam ne gladiū in filiam? istud est nefas.
Ex carne propria est caro. Hanc neci dabo?
Quin belluae immanes patrare hoc respuunt.
Nā foetū amāt valde, atq; salvū eū volunt.
Istis ne ego crudelior ero in filiam
Charissimam? comprimere iam oportet manus.
Sed o deus qui tecta coeli caerula
Colis, aliud tu mihi imperas. Votū cupis.
Per Moysen enim hoc effatus es. si sanciat
Quis votum, oportet sine mora persolvere.
Inuitus exequar miser quod tu iubes?
Minime. Tibi decet primū homines obsequi.
At ipse faciam hoc manu eadē propria?
Est impiū. haud vultū intueri filiae
Potero. grave est collū illius transfigere.
At remediū cladi huic tanti nullū datur.
Hei mihi. Quid aspicio? Redit iam filia.

Filia. Ut virginalē luxerā florē satis
Iugis in altis montiū, redii domū.
Adsū tibi pater. Hostiā nunc immola.
Corpus paratū est, animus haud quicq; timet.

Iaph: O filia, o spes generis, interimam statim?
Tenero cruore prolis aspergā manus?
Mens horret. Emori quidē pro te malim.
Sic te nece exiperē aspera, atq; lugubri
Fletu meipsū modo. Melius est hoc quidē.

Nequaq; erit. Violare uotum niteris?
Obtēpera deo. Facimus hoc mox obi.
Exhibeo ceruicē lubens, Ecce hic tibi.

Jeph: O celsa mens. O gnata confidis nimis.
Quis tale corpus morte mulctare audeat?
Vitæ voluptas, ingredere in ædes statim.
Vultus dolorē adauget, abscede illico.

Filia: Volo. ad deū tamen preces fundā prius
Quam moriar. Hoc namq; est piū pater. Sine.
Tū mente placida gradiar ad mortem asperā.
O qui gubernas cuncta Numē præpotens
Telluris, et cæli. Aspice ancillā tuam
Clamans. Patris miserere, Da pacē Israel.
Luctū leua matris. strenuū animū mihi
Insere. tribue patientiā ad lethi diem:
Accepta sit tibi hostia precor. Nam volens
Pro patria morior. Deus tu spiritū
Accipe. tegatq; terra corpus languidū.
Valete amici iam. opto uobis prosperā
Vitam. parentes uos valete, et singuli
Ciues valete. Vrm enim causa occido.
Et uos statim sequemini. nā fuimus, hæc
Vita est; cito euanescit. Infortunij
Luctusq; plena. Abeo ad necem, iam valete.

Jeph: Hei mihi quid in uita moror? quid conspicor
Lucem? heu nefandū aggredior infælix opus.
O misericors deus benigne victimam
Suscipe. temeritatemq; condona hanc mihi.
Et sapere melius postea pius dato.
Defende populū propriū. Hostes enica.
Abeo domū. cunctando statū adaugeo.
Valete mihi chari senes. Vos supplices
Deū precari victimæ causa decet.

Versus fabrici dimetri omnes p̄ter primū.

Cho: Puella amabilis
Semper beata sis precor.
O corpus pulchrū decus.
Improsperis multi modi,
At haec puella neutiq̄,
Quisq̄ fuit foelicior.
O chara proles subis iā
Mortis cruentae limitē.
Orbus genitor, immerita tu.
Matrem gravis luctus tenet.
O admodū infoelix domus.
Fiat voluntas Numinis.
Nāq; istud in primis decet.
Deus repente praepotens
Permulta saepe perficit.
Ex aedibus nunc exiens
Servus docebit omnia.

Senarij.

Fam: Adeste mihi senes relatū ad vos eo
Miranda, de formosa Jephte filia.
Postq; venimus sacrā ad ara numinis,
Lento gradu eadem occupat prolis pater.
Leniter coepit illa genitorē lubens,
Faturq; talia. O pater quid ingemis?
Laetare quod proles cadat pro patria
Decus est enim mihi ob Israel luce eximi.
Mortalibus grata facio iam libere.
In lucē eo hanc rē procreasti me prius
Adsum tibi pater, deo et patriae.
Tu tolle vitā. Spiritū excipiat deus,
Patria cruorē, si quid affert cōmodi
Da corpus hostiā deo, qui tradidit
Victoriam. Terra offerat domū, ut decet.
Ecce exhibeo collū, ecce demitto caput
Atq; ecce pectus virginis. Mamilla adest.

Parente pater iam metuo mortē nihil.
Tandē ad dei arā corpus inflexit volēs,
Ægre pater inuit manu ensē ferreū
Leuatq; paululū, atq; humi mox cōcidit.
Iterūq; surgens cædere incipit anxius.
Non sinit animus. lugubrē vocē edidit.
O grata capa tu ensem. Patris caput amputa.
Pro te lubenter victima ero nūc filia.
Perij miser. quid cerno lucē perditus?
Luxere cuncti. Sed propera obire inquit.
Gemitū mora auget. ille tandē ense ereo
Tenerū abscidit ceruicibus prolis caput.
Cruor affluit. respersa sunt altaria
Cede generosa. Corpus ad tēpus micat.
Deflere cuncti filiā luctu graui.
Mentem virilē eius stupebant vndiq;
Haud facile verbis fletus exprimi potest.
Robur animi tā forte nunq; videra.
Clarū ōibus virtutis exemplū exhibet.
Fælix parens qui morigera habuit pignora.
Dicto puella hæc obsequi nouit patris.
Laudē perēnē inter homines habeat precor.
Cho: Esto. Deinceps quisq; votū prouide
Sancire debet, et futura expendere
Recte antea. nā vota soluere nō licet,
Quæ facta sunt. mēte ergo prospice sedulo.
Ut quod deo promiseris reddas lubens
Temere vouere sæpe fert incōmodū.
Illustria hinc exempla licet expromere.
Cuncti deo vouete vota cōmode.
Deinde reddite. Sic enī iubet deus.

ΤΕΛΟΣ. Finis.

25

(02)

HERO=
DES.
TRAGŒ=
DIA.

Interlocutores.

Mariemma.
Herodes.
Achiabus.
Antipater.
Custos carceris.
Nuntius.
Chorus.
Doris.
Nuntius.
Ancilla.

Honoratissimo Viro D. Thomæ Sackuile Equiti aurato Domino de Buckhurst.

Domino suo benignissimo.

Qui me iam pridem commendatum habuit honori tuo (illustrissime Heros) idem me hoc tempore voluit, Vitricus meus, significationem aliquam observantiæ meæ apud te facere. Id quod ego sane non provocatus, mea sponte fecissem, si placuissem mihi. [illegible] tamen feci quidem, sed valde diffidenter et verecunde, et fretus humanitate tua. Offero enim tibi istam chartam et virginem ut vocat ille, cum religio mihi esset splendidissimum nomen tuum tam impolitæ scripturæ præponere. Tu qua bonitate es cætera fortasse studio officiisque meis condonabis, iudicium certe, et delectus rationem probare non poteris; Quid enim magis vitare eum oportuit, qui ad opinionem sui laborat, quam ne carmine aliquid aggrediatur; ubi si ab excellenti illo et summo dicendi genere paulum deflexeris, humi te serpere, et in postremis esse necesse est. Quem ego sane locum huic labori meo obtigisse vereor. Nam egregium illud et singulare, neque ingenium mihi, neque ætas, nec studium meum in rebus alienissimis occupatum, nec ipsemet sane mihi concesserim; mediocritatem res ipsa non patietur. Tu vero (nobilissime Heros) cum nihil aliud possis (velles enim fortasse) voluntatem tamen (quam luculentam sane præstare potest hic labor meus) et observantiam quæso agnoscito, et ita (si placet) cogita nullis me unquam officiis sedulitateque honori tuo defuturum, qui, ne cessasse hoc tempore iudicarer, hoc ausus sim, ut apud honorem tuum erubescerem.

Honoris tui observantissimus
Guilielmus Goldingham.

Actus Primus.

Mariemma Sola.

Jambici senar.

Inferna linquens regna pallentis Iouis,
Vetitum sereno transtuli cælo caput,
Vltrice Stygiam præferens dextra facem.
Hæc nuptiales fœda conciliet rogos,
Hoc igne dirus flagret Herodes mihi,
Tristesque amores pectore incenso hauriat.
Hæc, hæc, perustis flamma visceribus micet.
Ponantur odia; coniugem Herodes amet,
Et a me ametur: ira sic semet mea
Animusque frangat. Ibo et implebo mei
Amore dirum pectus, hostile, impium:
Nunc ille nostræ sentiat Veneris rogos
Flagrantis imo gurgite ambustos freti.
Ardens, inopsque mentis, impatiens sui
In me feretur, et erit ambiguum, magis
Amore nostri pereat an odio sui.
Vos ô profundæ noctis infœlix cohors,
Aduersa cælo numina, et tristes Deæ,
Adeste precor, et iungite ultrices gradus.
Quicquid sinistro dira nox partu edidit,
Horribile quicquid celat æternum Chaos
Mecum inferatur; luctus, insidiæ, metus,
Malusque mortis pallor, et nunquam sibi

Ambitio sitis, et æger alienis bonis
Liuor, Probrumq; dedecus, et audax furor;
Æterna siccos exerat rictus fames,
Arensq; pectus igne perpetuo cremet.
Adsit senectus plena finitimis malis,
Grauisq; sibimet morbus, et lentus dolor,
Suoq; opima sanguine impietas atrox,
Non nisi cruore pasta cognatæ domus.
Tristis nefandum corpus exedat lues:
At animū Erinnis maior attonitum premat,
Animū nocentem conscius uexet pudor,
Animum nocentem facibus exurat nigris
Armata tristes angue Tisiphone manus.
Adeste lentæ uindices scelerum Deæ,
Comam cerastis squallidæ, et fumantibus
Cinctæ flagellis; si meus meruit dolor
Sperare tot sceleribus ultrices faces,
Si læsa doleo: Coniugis gladio impio
Mactata, cæso fratre, et euersa domo,
Natis peremptis per scelus, ne quid mei
Supersit usquam, neuê Mariemmam gemant
Vel liberi Herodis. Ferus cur hic pater,
Cruore toties liberū sparsus manus,
Nunc fessus hæret? redeat in mores suos,
Totumq; Herodem mente recidiua hauriat.
Nondum nefandi criminis cecidit reus
Antipater, audax qui impijs factis patrem
Lacessat ultro, et prouocet iuuenis senem.
Non sic furentis omne consumptū est nefas
Quin hic nefandus debitas pœnas luat,

Dextra peremptus impia orbati patris.
Nunquam profanam satiet impietas sitim
Donec supersint liberi, fratres, parens,
Coniux, nepotes, ulla materies mali.
Postremus in se tela conuertat furor.
Morique uaecors cupiat, et nequeat mori.
Mors appetentem fugiat, inuitum opprimat.
Aeger, cruentus, orbus, execrabilis,
Animam nocentem morte miseranda exuat.
Cunctis perosus, eo magis quam alijs sibi.
Sitque superis, functisque uindictae satis,
Odioque tandem poena sufficiat meo.
Actum est abunde; iam ipsa supplicium moror,
Phoebusque Solymae triste uisurum nefas
Det meo terris, redde iam caelo iubar.
Diemque mundo perage detestabilem.

HERODES. ACHIABUS.

O magne caeli rector, et mundi decus
Radiate Titan, qui faces inter uagas
Medius inerras, perque stelliferum aethera
Perpetua celeri secula euoluis rota:
Qui rebus ortus, et nouas uitae uices
Infundis alma luce, et aeternum ambiens
Clarum silenti diuidis mundo diem.
Cur me nefandi conscium sceleris, sacro
Reficis calore? cur nocens corpus foues?
Animumque reparas impium? atque orbe igneo
Scelis pudendis incutis clarum iubar?

Permitte noctem potius, ut tenebræ mihi
Coeant perennes, obrue æterno grauem
Horrore vultum, meq; adumbrantem polū,
Verasq; tenebras Tartari, et sedem infima
Noctis profundæ, vel si quid infra Tartarū est
Detrude penitus; et adde perpetuis malis.
Pudet uidere conscium nostri diem,
Pudet videri: crudus, intractabilis,
Æger, cruentus, dedecus terræ vagor,
Diumq; populi, coniugis iugulo impium
Imbutus ensem, ciuium exitio nocens,
Fratrū perembtor, generis euersor mei,
Per tot meorum liberum stragem parens
Desertus, orbus; Nisi quod in pœnas meas
Supersit ille, qui patri regerat scelus,
Maius q; faciat, et probet generis fidem.
Meus ille sanguis, indolem agnosco meam
Filium q; Herodem; certa progenies patris
Antipater, ecce crescit in mores meos
Atq; adeo superat, facinus ausurus nouū
A patre primum natus orditur nefas;
In me venenū, et mille leti machinas
Consorte sumpto, perditus, fratre apparat.
O dira nimium pessimi proles patris
Patriq; nimium similis; Abrumpe ocius
Tristem senectam et languidas vitæ moras
Funeste genitor; semper ex æquo impius,
Dum scelera facis, et dum pateris. Aufer tuis
Facinus pudendum, teq; materiem mali
Subduce terris: scelere regalis domus

Tandem vacabit, rege cum vacat impio:
Abesse non possunt, scelera, fraudes, doli:
Herodis aula; forsitam mecum meas
Comitatus ibit. Anime quid segnis stupes?
Mortem paratam sequere, tot scelerum capax
Furiale diris aestuat pectus rogis,
Maior perustus flamma iamdudum vorat
Intus medullas. Perfice audaci manu
Mortem imminentem; haec pectoris diri fames
Quam nec Ceres, nec Bacchicus satiat latex,
Saturanda ferro est, viscera hoc sitiunt mea.

Achi. Magnanime Herodes, inclitum Solimae decus!
Animosa mortis vota, et audaces minas
Omitte, magnus non capit fraenos dolor:
Grauis illa semper ira, quae secu gerit
Ciuile bellum. Scire quod fueris nocens
Pars innocentiae est: reus non est, reum
Qui se fatetur. Cur tuam sortem grauas
Infensus et mente aspera? te Deus potest
Sola innocentem facere paenitentia:
Quem sceleris admissi piget, culpa vacat.
Proinde motus spiritus magni doma,
Agnosce tibimet, hic gradus clementiae
Primus, furoris illud ingentis malum:
Qui semet odio perdit extremo in loco est.

Hero. Extrema merui, pessimum sortis locum,
Nouas q poenas. Quisquis umbrarum potens
Supplicia functis statuis, et tristi reos
Decernis urna, sceleribus nostris pares
Repende poenas. Quisquis inferna ferox

Dominaris aula, statue supplicium impio
Crudele, inauditum, ferum, immane, horridum.
Artus citata noxios verset rota
In se reflexos, irritum rediens lapis
Fallat laborem, lympha destituat sitim,
Nostrumq semper alitis rostro ferae
Crudele reparans pabulum crescat iecur.
Parum est. Anhelos torqueat per me globos
Phlegethon, et ambustum igneo cingat freto.
Herebi profundo clausus immergar specu,
Vnusq cunctas Tartari poenas feram.
Nam quod reliqui facinus? aut quid iam mihi
Sceleris inausum est? coniugem leto abstuli
Atq etiam amabam, liberos clarae indolis
Patricida rapui, sanguinem effudi meum,
Fratrem peremi per scelus, genus inclitum
Stirpis regalis prodidi, affinis domus.
Amoris haec sunt scelera, et errores leves,
Veri furoris opera maiora audies.

Achi. Sceleris inique nomen errori imbutas.
Scelera voluntas prava non casus facit.
Meritos honorem laude, aut culpae reos
Metimur animo: qui nefas mente imbibit
Et velle et aggredi ausus, id quamvis minus
Perficere valuit, sceleris hic tamen est reus:
Et ille contra est innocens, si quem inscium
Et non merentem, durior casus premit.
Consilia saepe recta per peius meant,
Id quod Deorum crimen est, et fati onus.
Volens, innocentes liberat, damnat reos.

Herod. Animo reatus imputes, cœlo exitus.
Non me propinquus Hectoris cæci furor,
Non hic sinister error, et mens integra,
Non ipsa cœli fata, non leges Deûm,
Non qui silentis arbiter durus plagæ
Dircæus, atra noxios urna premit,
Abiudicare sceleribus summis queant
Toties nocentem. Sum nocens, merui mori.
Ego te peremi generis inuicti decus
Mariemma, natosq. insuper tumulo tuo
Comites litaui, sanguinis gemini fidem.
Error minutum forsan excusat nefas,
Hæc tanta nullus scelera purgabit dolor.
Testor quod atrox luctibus sidus meis
Fuisse fata inscrerint, aut quam mihi
Irata sedem dederit implacabilem
Fortuna. Quicquid mente decreui innocens
Culpæq. vacuus, illud in dirum nefas
Infesta vertunt numina, et iniqui Dei
Consilia nostra recta per scelera extrahunt
Non cogitata: Quicquid aggredior miser
Auctore peccat: impium est si quid meum est.
Aut antecedit semper, aut sequitur nefas.
Testor silentis numen infernum Stygis
Cœlo timendum, et horridos Ditis lacus,
Phlegitonta tristes igneo fluctus freto
Aestuantem, et fonte Cocytum graui
Lacrimas perennes flebili undantem vado;
Hoc quod nefandum mente decepta impius
Facinus peregi, insciens atq. animo inscio,
Errans q̃ feci, nec tamen leuius nocens.

Minuere tanta scelera non error valet,
Augere valet, in supplicia cessit mea
Nescire quantum sceleris admisi inscius,
Non sim nocens minus, sed ut doleam magis.
O qui profundæ noctis umbrantes domos,
Angusta pænis Tartara, et cæcum Chaos
Manes q; sontes regitis, et tu olim mihi
Multum inuocata, vota peruersa accipe,
Tisiphone, et impijs precibus ultro annue.
Si te nefas monstrante dum regni fidem
Firmare cupio, facinus admisi nouum,
Immane, dirum, triste, inauditum, horridum.
Quod nullus ante rupe funesta insidens
Sciron, nec imo claustra cum fremitu replens
Taurus biformis, cæterum est ausus nefas:
Non qui hospitali carne Bistonios equos
Pauit cruentus, non ferus læti artifex,
Lamenta falsi misera mugitu efferens.
Tenerum cruorem Bethleem, et vulgus rude,
Animasq; tot, sceleris et vitæ inscias,
Ferro peremi, dum sequor maius nefas
Ipsumq; quæro cælitus ~~datum~~ regem datum.
Mox ~~te~~ iubente, callidas nati ~~impij~~
Fraudes secutus, coniugem occidi meam,
Natosq; magni generis inuictam indolem:
Nunc ille cui tot scelera peregi miser
Grates rependit impijs meritis pares,
Spolijs paternis inhiat, et regno imminet
Scelere occupando, queritur et lentam stare
Patris senectam, cuius exitium ferus

Ferro, venenis, fraude et insidijs parat.
Tu iusta altem, sceleribus vindex ades
Visibione, et omnes explica irarum modos.
Malumq nato videns, mihiq maius pare.
Careat superbo regni sceptri bono.
Cupiatq, diris excidat [illegible]stis mali
Inuisus, exsors, spretus, intestabilis.
Suoq pariter et meo scelere occidat.
Et quo malum non aliud horrescit magis
Regnante patre iuuenis exitium ferat.
Mihi nil precabor, mortis in poenas suas
Haec dextra satis est. iusta sic tandem licet
Supplicia capere; Quid mori trepidem miser?
Animaq lentas noxiae exequias traham?
Mors est beato poena, sed misero decus.

CHORUS

Sapphici.

Quisquis ingenti solio timendus,
Credulus rebus nimium secundis
Vela fortunae tribuis fauenti,
Et caput nunquam tibi par superbis
Stare, sed cunctos numeras minores:
Disce fortuna reuerenter uti,
Et manu strictum cohibere ferrum,
Nec nimis leuis dare iura factis.
Nemo tam celsus solio refulget
Esse quin semet famulum fatetur.
Atq maiorem dominum timescat,
Emicat semper grauior potestas,
Rex super reges alius triumphat.

Pœna damnatos sequitur, nec usquam
Deserit mentis grauis ille vindex.
Conscius magni sceleris, nocensque
Semet infelix animus remordet,
Hinc malum totas cadit in medullas,
Et dolor lentos populatur artus,
Nec vix tollunt oculi pudentes,
Hæret in vultu rubor, et malignus
Error, et mentis rabies probanda,
Æstuat diris furiale pectus.
Sudor atque artus tacite pererrat.
Tum grauis secum dolor ipse pugnat,
Mensque secreto furit, et minatur
Arma ciuili grauiora bello.
Liuidos dextræ rapiunt lacertos,
Et genas ipsas ferus unguis haurit.
Non cibos rictu capiunt patenti.
Ora nec dulci Bromio serenant.
Membra nec pingui saturant quiete.
Sed sui pernox odium volutat
Mens vigil, cunctas agitatque vexas.
Choriamb. Asclep.
Ingens supplicium est mens male conscia,
Vel morbo grauius, vel grauius nece.
Fato Sidonius nobilis improbo
Infelix Polybi alitis Oedipus,
Interpres varios callidos ad dolos,
Hausit dum proprium persequitur nefas,
Et vix explicuit fata nocentia:
Sed postquam explicuit, se videns reum
Effodit merita lumina dextera,
Atque vncis manibus sponte sequentia

Eduxit penitus sedibus intimis,
Abiecit q̨ diem; tum miserum tuens
Vultus erigitur sanguine squallidos,
Et cælum vacuis orbibus accipit.
Illum perpetuis sub tenebris tamen
Seruantem latebras Vmbriferæ domus,
Qua non sol roseà lampade flammeus
Transmittit radijs igniferum iubar,
Circumstant animi summa conscij,
Et vexat scelerum terribilis dies.
Tum mens assiduis criminibus vigil,
Nunc tristes furias nunc Erebum videt,
Et rictus patulos tergemini canis.
Hinc ferro senior Laius impetit,
Hinc instat thalami monstriferum nefas,
Errores q̨ mali, et turpia gaudia.
Damnatur proprio iudicio nocens,
Et pœnas proprio iudicio subit,
Quas nec diluerit gratia iudicis,
Nec demens populi depulerit fauor.
Veras ô miseri discite regulas
Virtutis placidæ, veraq̨ gaudia
Et dulces latebras deliciis otij.
Felix qui potuit sub lare sordido
Contentus tenuem pauperiem pati,
Fortunis q̨ suis et modico frui,
Immunis scelerum: qui neq̨ liberum
Spectat sollicitus sanguineam comam,
Nullum nec trepidat prodigium sibi,
Irati q̨ Iouis fulmina negligat.

Securusque animi nec properat mori
Nec si fata vocent distulerit mori.
Sollicitent alios conscia crimina,
Et magni sceleris triste silentium
Quod clausis animus pectoribus premat:
Me culpae vacuum libera mens iuvet,
Et vitae capiat conspicuus tenor,
Et nullis animus criminibus nocens
Tranquilli placidum per senii fluat,
Et nullis pereant cum strepitu dies.
Nec cum lux oculos ultima clauserit,
Et Parcis venient fata vocantibus,
Me coniux lacrimis rustica lugeat,
Et plorent tenuis praesidium patris
Nati, sollicitae perfugium domus.
Plebeio moriens in tumulo cubem
Contentus tabula, aut cespite simplici.
Aetas sic positum proxima nesciat,
Et de me memoret posteritas nihil.

ACTVS SECVDVS

Antipater. Custos carceris.

Iambic. sen.

Magni parentis sceptra qui Solimae tenet,
Populosque late frangit imperio truces,
Haud dubius haeres, columen excelsum imperi,
Decus ruentis scelere cognato domus,
Vnica superstes regiae stirpis fides,

Pædore diri carceris fœdo obsitus,
Pressus catenis, clausus, in tenebris latens,
Cogor iuuentæ nobilis rectam indolem,
Floremque vitæ, perdere in magnis malis.
Tanti est Herode genitum, et infami patri
Debere lucem. Sit bonus natos solet
Amare genitor: versa natura est retro,
Quoties Herodes fit parens: quot liberos
Habet, tot habet hostes, quibus vitæ author est
Horum cruore gaudet, et ferro imminet.
Fateor veneno facinus aggressus nouum
Lethale patris poculum in cædem obtuli.
Aberat nefandis æquior cœptis Deus.
Deprensa luce scelera conspicua nitent,
Non abneganda; nec tamen videor nocens:
Est innocens quicunque in Herodem est nocens.
Contra scelestos crimine impietas vacat,
Scelera repeti per scelera, fas est, decet.
Cust. Omitte verba mentis insanæ, precor.
Antipater, et per supplices veniam preces
Potius merere: disce quid miseros decet,
Animos remitte, spiritus fortes doma,
Tuæque sorti congruam mentem gere.
Ant. Quamuis profundo carceris mersus specu
Seruem perennes noctis horrendæ domos,
Quamuis catenis pressus, et ferro et fame
Longæ extrahantur flebilis vitæ moræ:
Non animum tamen flectet inuincibilem
Vis ulla, non mors, non graues pœnæ metus:

Non si ipse nostrum more consueto impius
Fundat cruorem, et sceleri adhortans suo
Spectator oculis exigat patrius necem.
Moriar supremum funus orbati senis,
Scelus nefandi patris, et mecum feram
Perenne mentis vulnus insanabilis.

Cust. Frustra impotentis spiritus animi geris
Miserande, nec quonam in loco situs es vides.
Admodum iniqua vota te populi premunt,
Odit Senatus, civium dolor exigit
Piaculare fratribus caesis caput,
Quos non merentes fraude persuasus tua
Miser interemit genitor, et damnans suum
Subinde facinus omnium aspectum fugit.
In te malorum causa tantorum redit,
Odio laboras publico, et licet pater
Licet affectus sceleribus totis tuis,
Differt misericors debitas poenas tamen.
Magno parentes vinculo astringit potens
Natura; parcit sanguini Herodes tuo.

Ant. Numquid sub illo pectore est aliquid pium,
Aut aliquid hominis? mite et ingenium bonum?
Ullusne pudor nec? iuris aut ratio sacri?
Hic misericors? hic sanguinis parcus mei?
Cuius furore regio thalamo parens
Expulsa quondam bellica cessit thoro,
Contempta, spreta, coniugi invisa ac sibi.
Qui me addictum flebili vitae diu
Ut nec videri coetibus populi velit,

In hoc reduxit sanguinem ut perdat meum.
Habet ille in animo, nomen et generis sui
Abolere stirpem funditus, totq; hinc neces
Fluxere, totq; scelera; suffecit suis malis
Fraternus ensis, grata non fratri soror,
Non coniugalis sceleribus lectus vacans,
Turbatus ordo sanguinis, ruptae vices,
Incertus haeres, crimina, insidiae, doli,
Malaeq; hostulationes, impiae
Factae sceleribus gratiae, et nunquam bene
Deposita odia, funeraq;, et infausti exitus,
Novisq; semper cladibus maerens domus.
Testantur istud liberum tanti greges,
Fusi paterno scelere: Faelices quibus
Fortuna celeres mortis invenit vias.
In me nocendi laudem et extremum decus
Famae reservat, Ultimum hoc fiet nefas
Maiore cumulo. Durus hic leti artifex
Exitia toties machinatus nova,
Mutare de me cogitur scelerum vias,
Virusq; totum assumit in caedem meam.
Nonq; gravia celeri morte transmittit mala,
Gaudet cruentis ante suppliciis frui,
Vitamq; tristem flebili educit mora.
Mortem ille poenae terminum haud poenam putat:
Animam dolori servat. o gravior nece
Parcentis ira, o tristius ferre malum
Concessa lacrimis vita, et aerumnis data.
Mortem timere maius est quam mors malum.

Crudelis haec est venia quae toties necem
Differt paratam, nec tamen soluit minas,
Intatq; morti pariter, et prohibet mori.
Submissus ecce supplices mitto preces
Natura poleens vulnera, et paenas breui
Finire fato; liceat hoc saltem mori.
Cust. Facilis volenti mortis apparet via.
Ant. Debere Herodi sanguinem nostrum volo.
Cust. Miscere sceleri cur patrem quaeris tuo?
Ant. Ut sit cruoris premium patris scelus.
Cust. Habet ille pridem sanguinis nimium sui.
Ant. Nostrum quoq; habeat, ne manu pereat mea.
Cust. Fortuna vires abstulit tantas tibi.
Ant. Dabit q; rursus forsitan; levis est dea.
Cust. Semper premit fortuna quos fregit semel.
Ant. Instabile dubio fluctuat regnum loco.
Cust. An squallor iste regium expectat decus?
Ant. Paterna ius est sceptra transmitti mihi.
Cust. Iam factus ipse es crimine exheres tuo.
Ant. Crimine vacat quicunq; in authorem suum
Scelera reponit. Cust. Causa non ulla est satis
Natis nocere qua patri liceat malo.
Ant. Sacrata si quis iura naturae abstulit
Hunc scelere fas est impio rursus peti.
Cust. Patrem c se [illegible]tito. Ant. Fuit Alexandro quoq;
Et Aristobulo. Cust. Nulla si pietas movet,
At te salutis cura sollicitet tuae.
Ant. Iter salutis unicum hoc superest, nihil
Timere, nec sperare, confisum malis.

Cust. Maiora ne te damna confundant caue.
Ant. Securus est, quicunq; in extremo est loco.
Cust. Nondum miseriae nota pars magna est tuae.
Ant. Miser esse nescit qui potest et vult mori.
Cust. At hos tumores mors prope admota excutet.
Ant. Terrore nostram qui volet mentem quati
Vitam minetur, nam mori lucro est mihi.
Cust. Iam parce tandem vocibus precor impijs,
Animoq; leni patere fortunam tuam;
Data est miseriae parua libertas tuae
Caelum tueri, et aere aperto frui.
Proinde spacio temporis breuis utere.
Mentem relaxa, liberum specta diem,
Haustusq; puros aetheris diui accipe.
Grauem hunc benigno lumine, et amico Ioue,
Vultum serena: tristior sed mox tamen
Subiture tenebras; sic iubent reru vices
Celeresq; longus gaudium alternat dolor:
Ant. Dura est voluptas ipse queis careas bonis
Videre, et inuidere fortunae simul.
Cerno potentis inclitum Solimae decus,
Qua lenta circum spacia murorum iacent,
Triplexq; vallum. Hinc languido piger vado
Iordanis errat, fertiles agros rigans,
Venerandus illinc nobilis templi nitor
Centum columnis surgit, et caelum petit,
Sedes Deorum, paruus hinc floret Sion,
Gelidum sacrato vertice attollens nemus.
Quid anime trepidas? Video crudeles lares
Aulamq; Herodis, natus est illic parens

Violenta saeua sceptra qui flectit manu.
Huic nunc domum miseram, et lares confer meos,
Famem, catenas, vincula et mortis metum?
Rapit ira mentem, pectus inuidia labat,
Et aegra fesso membra subsidunt gradu.
Minus est miser, qui nil quod inuideat uidet.
Repetatur atri carceris tristis lues,
Habitata miseris castra, non illic tamen
Fortuna nostris cladibus reddet parem.
Magis unde te sors depulit, quam quo refert.
Grauiter ruit quicunque de summo ruit.

CHORUS. NUNTIUS.

Quis iste magni flebilis luctus sonus?
Unde hae querelae, et tanta lamentatio?
Aut quid dolenti nuntius uultu refert,
Gradu que celeri triste testatur malum.
Nun. Periere cuncta, cecidit imperij decus,
Statusque Solimae pendet ancipiti in metu.
Cho. Quid triste portes uoce non aequi expedi.
Nun. Amens Herodes flebili laeto imminet.
Cho. Quis tam repente morbus inualuit refer.
Nun. Crudelis ira, et impotens mentis furor
Odiumque triste nec animus patiens dei.
Cho. O morte grauior mortis infelix modus.
Sed ede propere tam grauis fati ordinem.
Nun. Postquam furenti regiam ascendit gradu
Et triste solito corpus excepit thoro.

Non uerba primum nimius inuenit dolor,
Stupet intus ira pectore arcano latens,
Et anhela pigro membra cum gemitu quatit.
Artus per omnes languidus sudor coit,
Oculi minantur, inque diuersos status
Senile uexat corpus incertus labor.
Laxata tandem vocis infelix via
Patuit querelis, perque non solitas genas
Manabat imber, ille violens et ferus
Animique quondam ferrei, et flere inscius,
Lamenta tristi rupta singultu gemit,
Tunsumque dextra pectus infensa [illegible],
Miserumque sese narrat: et acerbum intonans
Scelerum recenset flebiles historias,
Quicquid cruoris impia effudit manu.
Te praeter omnes, voce miseranda ciet,
Mariemma, tibi lacrimas, tibi infaustos citat
Doloris ictus, mox et Alexandrum ingemit
Et Aristobulum, caedis et geminae nefas.
Quis tanta dirus scelera commisit Scinis?
Aut quis Procustes? forma vel mixti bouis
Hominisque, saeuo claustra mugitu replens?
Exempla ueterum scelere superaui impia.
Et quicquid olim terra non fauste edidit,
Atrox, cruentum, triste, abominandum, horridum.
Et tam nocentem senis Alcides videt?
Iam ne inuocentur vindices terrae manus,
In scelera recinent? Dixit, atque odio furens
Luctuque tacuit: ira manantes diu

Lacrimas resorbet; tum grauior Ætna fames
Intus medullas torret: incertum est sacri
Quae causa morbi, quoue de fonte exeat
Perennis illa pectoris diri fames.
Anhela flammis corda perpetuis micant,
Et igne miserum non suo pectus cremat.
Hinc iste subita fraude pretexens scelus,
Rapit impotenti mente crudeles dolos.
Nam cum leuare vellet indomitam famem
Vacuum poposcit, cena simulatis cibos
Vacuumque tenuit, dextera prensat manu
Lethale cultrum, tum graues artus thoro
Erexit ingens, seque in exitium parat.
Oculosque circum se huc et huc voluens truces
Ferro locum designat, hunc ubi uerbere
Anhela trepide corda sollicito micant.
Stat ensis auidum pectus, atque ultro obuios
Inuitat ictus: ille vibratum graui
Telum lacerto torquet, et totos ferox
Inclinat armos, forte supremus dolor
Et ira tristes dextere uires dabant.
Non fida potuit turba tam subitum nefas
Inhibere, palmam sed per obliquum tamen
Depulsus ensis deuium subit latus.
Parcus senili vulnere exudat cruor.
Ingens et ille rursus in tergum ruit.
Cho. Humanis cupito scelere frustrata est manus?
An interemptus vulnere infausto occidit?
Nun. Vtinam occidisset, uiuit hoc ipsum dolens,

Animaeq; lentus triste supplicium extrahit.
O grauior omni funere infoelix fere
Mortis libido; viuit, et uiuit miser,
Poenis superstes, miserijs nato et sibi.
Fracto pudore pertinax animi dolor
Sine more, sine lege furit, At populus leui
Errore, falsos funeri luctus parat,
Rumor per omnem creditus Solimam uolat
Cecidisse Herodem dextera extinctum sua.
Quum ecce tristis turba deceptos hic
Plangit dolores. fecit erroris fidem
Funesta in ipsa regia exclamatio.
Errorq; vulgi luctibus credens suis,
Et fama velox semper in peius trahi.
O quam has querelas ille quem fleti velit
Veras probare, seq; in exequias daret.

CHORVS

Epimicl.

Plandite miseri funera regis,
Augustas Solimae qui colitis domos,
Atq; olim magnis hospita tecta Deis.
Flete Herodem, quisquis antiquae es
Incola Ioppae, quisquis Oceano
Ludenti medias rumpere terras
Obstare potes, tumidamq; iubes
Finire Thetim, quisquis uides
Littore nudo, ingens miserae

Saxum Andromadae.
Exere planctus, questusque tuos
Paruam quisquis habitas Ascalon,
Quisquis paruam Bethoron imples,
Quisquis Iammam Lidemue tenes,
Vrbem quisquis colis uxoriam,
Profugi lares hospitis Ibary.
Quique Idumee
Sacrata colitis rura, qui Samariam
Scandis irriguis collibus arduam.
Quos lauat pigro Iordanis gurgite languidus
Lugete graues regum casus,
Fortunamque leuem, nec stabilem rotam.
Quisquis et a domina Solimam subis aduena Roma
Adde pios fletus, lamentaque tristia confer,
Occidit infelix Solimae rex, quisquis es hospes
Da lacrimas, gemituque graues testare dolores.
Positum cunctis certumque mori est.
Sol, annorum genitor, properat
Rapidos voluere currus fugiente rota.
Cunctis summa dies mortalibus adest.
Et stata tempora,
Horaque non superabilis,
Iam nos regna malae tertia sortis,
Interna prement, Cererisque gener,
Fabulaeque manes, somnia inania.
Optima mors est quae decreto
Venit acta die. Non ego longa
Tempora uitae, opto superi

Non æstates Pilij Senis,
Nec Euboicæ Virginis puluerem.
Absit mortis dira libido,
Degener absit mortis pallor,
Quo me cunque volet, non humilem trahet
Fortunæ leuis ira volubilis.
Fœlix qui potuit non trepidè mori.
Nec tenebras timuit Stigis, aut manes
Herebi lucos, vacuique ditis
Aulam, vel silentis
Ætheris regnum formidabile.
ô quam miserum nescire mori:
ô quam mortem conscire graue est.
Non ego votis proferre velim,
Scriptamuè manu properare diem:
Non ego cupiam timeamuè mori.
Sed miser Herodes, fatis iratus iniquis
Et nimium tardante colo, male quærere mortem
Ausus, et inuitis abrumpere stamina Parcis,
Peruia fatali rupit præcordia cultro.

ACTUS TERTIUS

Herodes. Achiabus.

Iamb. sen.

Cui me relinquis cognito nondum malo
Fortuna? Quodue iam nouum misero scelus
Superest timendum? Coniugem et natos meos

Fratrem et nepotes perdidi, et famam, et decus
Vitam, et salutem. parte qua noceas mihi
Nullam reliqui, cuncta prodegi bona,
Ideoque mortem; quid super misero mihi
Tibi feriendum est; quid quod invideas habes?
Vbi iam minaris? cur mori miserum vetas?
Aliudque morte maius intentas malum?
Iam certe in ista sorte trepidandum est nihil.
Cuncta abstulisti; An addere miserijs potes?
Potes; timeo profecto iam timeo omnia,
Exempla hos et tot, postque deceptum nefas
Necemque charae coniugis, post liberos
Fraude interemptos: omne consumptum est nefas
Sed et omne superest, iam nihil credo mihi,
Faecunda nimium pectora in facinus gero.
Nunc aliquid ex me fata crudele exigent,
Quod vincat omnem veteris errati modum:
Proinde fatum quaero vel propria manu,
Vt anteuertam scelera matura nece.
Ach. Medicina dura est morte praecisum scelus,
Ipsoque morbo tristior curatio.
Ner. Si quis nocentes ense lucratur dies,
Et scelera vitat, huic constitit paruo mori.
Ach. Incerta numquid fata tam certis malis
Redemit unquam? dumque se scelere eximit
Per scelera vadit? Disce fortunam pati,
Animoque forti perfer aerumnas graues.
Timidum est minanti terga fortunae dare.

Her. Hic aeger animus, quassus atq exercitus
Toties procellis, nescit ignauos metus,
Fugasq nullas degener poscit timor.
Si tela Martis pectore aduerso pati
Necesse foret, aut ignibus corpus dare,
Medioue fractis ratibus immergi salo,
Intrepidus ignes paterer, et ferrum et mare.
Nunc scelera timeo, maius hoc morte est malum,
Non liberari scelere si nequeam queo.
O mors doloris dulce solamen mei,
Portus quieti placidus, afflictis salus,
Miseris leuamen unicum, ad te lugubri
Laesus repulsa supplices tendo manus,
Iterumq votis triste presidium occupo.
Liceat silentis Tartari obscuras domos,
Tenebrasq videre noctis, et Ditem pati,
Caelumq fugere, recipe me diris plagis
Quamuis nocentem, scelera purgentur mea
Phlegitonte toto. Ach. Tristius morte est malu
Mortis libido, fata superauit sua
Quicunq sic timuit ut cuperet mori.
Animam Deorum munere e caelo datam
Nefas putandum est soluere arbitrio tuo,
Atq ablegare creditam partem poli.
Terrena tantum corpori moles subest,
Caelestis anima nobiles ortus habet,
Et quam nefas dimittere iniussu Dei.
Miserum est timere fata, consciscere impium.
Her. Animam quidem dedisse caelicolas reor

Non fœnerasse, creditum dicis quod est
Datum, nocensque munus ascribis Deo,
Namque obligari flebili uitæ graue est.
Ubique miseris uita, mors fœlicibus.
Optime cauit natura nè fieret miser
Nisi qui uolet; Si ferre fortunam potes
Toleranda sors est; Si ferre fortunam haud potes?
Toleranda mors est. Semper hoc miseris patet
Castrum quietis, liberum effugium mali.
Afflicta uirtus rebus angustis uiget,
Supraque mortem crescit et famam petit.
Fortuna fortes facere non miseros potest.

Custos carceris. Herodes. Chorus.

Magni doloris nuntius, primum hoc peto
Magnanime, ut istud quicquid effabor mali,
Animo sereno et mente patienti feras.
Her. Profare, luctus fortiter patiar meos.
Exercitum iam pectus ærumnis gero.
Cust. Rumore postquam fama mendaci tuam
Populo necem vulgasset, et subitus dolor
Dirum relatu facinus auxisset graui:
Ecce undique omne vulgus in lacrimas ruit,
Et tota miseris Solyma lamentis sonat.
Rorant madentes fletibus magnis domus,
It arce in omni plangitur, simul et suas
Iuuenes querelas, et suas miscent senes.

Omnisq; sexus pariter atq; ætas gemit;
Insana matres turba fudere et nurus
De more laceratis comis, trißis genis
Coeunt querelis, et simul paruos iubent
Lugere natos, his tener, necdum capax
Doloris ætas, flere sed matrum tamen
Exempla monstrant; nec modus lacrimis datur.
Hos inter omnium eiulatus graues
Solus dolere nescit Antipater tuus,
Et nulla vultu signa mæstitiæ gerit.
Sed nec pudore fractus aut metuens Deos
Crudele diræ gaudium mentis tegit:
Quin et fateri voce lætitiam iuuat.
Tandem nocentes, inquit, Vltoris Dei
Aduertit ira tardior, meruit diu,
Et sæpe meruit, quas tulit pœnas semel
Impius Herodes, generis exitium sui.
Creuisse decuit fænore ingenti malum.
Grauius luendum est serò quod luitur nefas.
Miserabile licet dextra ceciderit sua,
Et ipse de se triste supplicium exigat,
Non sic tamen finire tam celeri malo
Tot monstra satis est, viuere in pœnas diu
Æquum fuit, nec posse cum cuperet mori.
Ad me secundum iura nunc veniunt patris;
Soluite catenas: liberæ regnent manus,
Sublime sceptrum dextera forti geram.
Imperia quisquis nostra detrectat pati,
Aut iussa sequitur tardior, properet mori.

Nova imperantum sceptra firmantur metu.
Dixit, measque cupidus aspexit manus.
Fateor timore nostra tentata est fides,
Et haesit animus, sed tamen vicit fides.
Et ille postquam sensit audaces moras,
Nec se timeri, torvum et obliquum intuens
Truci minatur triste supplicium mihi.
Nam verba subito nimius inclusit dolor.
O grande facinus, imbrio fletu genae
Rigantur, irae non patri lacrimas dedit.

Her. Pater Deorum, summe dominator poli,
Cui magna caeli sceptra, qui terras regens
Vibras coruscum fulmen Aetnea face,
Cur tam nocentes lenis ac patiens vides,
Cur scelera tardus vindicas lenta manu.
Nunc parte ab omni nubibus ruptis tona,
Errare fulmen non potest in nos tuum,
Sumus nocentes; genitor, et natus mori
Meruimus, in me ocius exitium iace,
Genui nocentem, quicquid is didicit mali
Ego docui; cuius cetera debentur mihi?
Tuque o parens natura, quam toties retro
Retorsit audax facinus [illegible] demus,
Clementia nobis [illegible] iam tandem eripe,
Dehisce tellus, nosque damnatos plagis
Procul recondi Tartari extremo sinu.

Cho. Non iam querelis tempus Herode datur:
Potius remedium statue praesenti malo.
Forte se natus carcere ex imo dans

Populos rebelles armat, et bellum ciet.
Her. Huc, huc cateruas ducat Antipater suas
Iugulumque patris impio ferro obruat.
Iam dira mortis vota perficiat mihi
Crudelis haeres, fata genitoris leuet,
Et quicquid olim dextra non potuit mea
Absoluat ille, regna sic teneat mea.
Itane? Ut ille funere multans meo
De me triumphet et rogos calcet meos?
Quin ipse potius debitas paenas luat,
Queis lenitas parentis abstinuit diu.
Pereat nefandi iuuenis ingenii capax,
Scelerum repertor, facinorum, caedis doli.
Abolere nunc iuuat ultimam labem domus
Hostemque nostrum. Quid facere miser apparas?
Experta toties fata cur necdum times?
Audesne adhuc cruore natorum frui?
Audeo nefandi sceleris authorem neci
Mandare, iusto noxium ferro caput
Abscindere audeo, audeo iniquam mihi
Effundere animam. Solus hic nostrae tamen
Domus leuamen, sanguinis lapsi fides
Postrema, summum generis extinctum decus.
Nunc ore tantum genitor ex isto vocor.
Sed cur pudendi sanguinis quaeram fidem?
Ciuesque Solymae fata post lacerem mea
Peiore nato? Melior est certe orbitas
Quam liberi mali. Heu nimis similis mihi
Antipater, etiam in impios mores patri

Adolescit, in q̃ illo patris sunt omnia,
Iræ, furores, facinora, impietas, doli
Hæreditas miseranda: quæ dederat prior
Exempla nato genitor, hæc rursus feras.
Veniam det alijs, ille cui venia est opus.
Ego nec magister sceleris et leti artifex,
Supplicia statuam sontibus, iura impijs?
Atqui nefandus meruit Antipater mori?
Meruisse non negabo: Sed quid iniquius
Quam alijs grauem esse iudicem, lenem tibi.
Si scelera spectis prima supplicia accipe,
Si scelera pateris cur neci natum obijcis.
O misera pietas: impium natum neci
Mandare metuo, funeri atq hostem meo
Demens reseruo: fata sic trepidem mea?
Pallidos vultus opacæ noctis è tenebris refer
[Troch. tetr. catal.] Luctibus a ~~pascere~~ Mariemma coniugis tui.
Ego necis ~~mortis~~ causa tibi iniustum rite supplicium fero,
Scelere lamentabili petitus, et gladio impio,
Filij mei nefandi, cui tuum sanguinem
Durus impendi furore dum trahor miserabili,
Nunc litare debeo necis tuæ authorem tibi,
Qui patri tantum nefas ingessit impius filio.
[Iambici sen.] Inuenit amens ira iam celeri ptis
Ite ô citato milites nostri gradu
Atq hoc nefandum regiæ crimen domus
Abolete ferro, noxium atq Erebo caput
Transmittite, hostem patris, effusi reum
Toties cruoris, debeo hoc iugulum tibi

Mariamma, nunc ô vindices arma manus
Miseranda coniux, artifex leti tui
Ferro peremptus spiritum inimicum exuat,
Atque hunc supremum cernat Antipater diem.

CHORUS

Anap. dim. et mon.

O infœlix regni splendor,
Qui fallaci cupidas mentes
Ægide captans, super astra rapis,
Mox in præceps immane iaces.
Ut nulla sui tenuit longam
Fortuna fidem, sed præcipiti
Turbine casus humana rotant,
Nescia certum firmare gradum.
Melius latuit qui securus
Paupere tecto patiensque vivit.
Cauta procellas vitat arundo.
Ruit immani turbine, magna
Radice hærens, Chaonis olim
Garrula quercus.
Vim sibi maior fortuna facit.
Sopor exigui melior tecti
Facilisque quies.
At gens hominum, nunquam magno
Constare putat sublime decus,
Nomenque ducis. Per iter summi
Triste laboris, perque pericula
Per et omne nefas, emitur miseris

Sceptrum infami gestare manu.
Nihil est vetitum quicquid regni
Dira libido fecisse iubet.
Fas atque nefas fortuna facit.
Cecidit causa quisquis in armis
Bello que minor, tulit insani
Iussa tiranni. Victusque malis
Dominum fassus supplice dextra
Stratus adorat. Ius sibi victor
Sceleris dabit. Heu o miseri
Regnum hoc posuit natura loco,
Decus aut clari grande imperii.
Regnum quivis facit ipse sibi.
Quamvis sceptris clarus avitis
Sub iuga rubros mittes Indos,
Licet utrumque regas Oceanum;
Si te mentis grave servitium
Premit, atque animi dira libido,
Famulumque trahat blanda voluptas.
Ubi fortunae vexilla tuae?
Atque ille diu simulatus honos?
Rex est qui dominus sui est
Choriamb. Glycon. Quem non impietas ferox
Movit, nec levis impetus,
Nec mentis rabies trucis,
Rex est, qui satis est sibi
Quem non de stabili gradu
Deiecit populus minax,

Nec vulgi fragilis favor.
Rex est qui cupiet nihil,
Cui naturæ dedit satis,
Cui promptis humiles cibis
Vulgarem domuit famem:
Cui rivi facilis latex
Plebeiam domuit sitim.
Rex est qui odium fugit,
Et sedem nimis arduam.
Cui pauper tenues lares
Contentus colit, et negat
Alte tollere verticem.
Rex est cui facile est mori,
Cui nigræ tenebras Stygis,
Parcarumque truces colos,
Vultu non trepido videt.
Hæc si nota forent satis
Infelix miseri patris
Proles Antipater tibi,
Non sic per facinus tuum
Ambisses decus imperi:
Nec sic per facinus tuum
Invito caderes patre.

ACTUS QUARTUS

Antipater Chorus.

Anast. dim. et mon.

Quo me miserum fortuna rapis?
Quodue immitis supplicium iubet
Perferre parens? Quae poena graui
Sufficit irae? Numquid lentis
Ignibus artus torrere parat?
In congestis infame caput
Vergere axis? Num mea pinu
Membra reducta laceranda dabit?
Numquid crebris caesa flagellis
Ibit in auras grauis haec anima,
Laceri fugiens vulnera corporis?
Numquid tristi clausae culeo
Inter simia, miseraeq ferae,
Pulsae mecum fluitare salo,
Duri venient comites fati?
Quas mihi poenas fera parentis
Inscitia parat? quo nunc crescent
Foenore plagae?
Ille ingenium triste nocendi
Artes q malas, pallidus imo
Phlegitonte refert. Viditq tuas
Megera manus, atq edidicit
Tartara quicquid crudele docent.
Vidit plano vicina vado
Pocula tristem captare senem.
Falsos q famem prouocare cibos,
Mox in caelum sublime rapi.
Nouit miseri
Orbem Ixionis, et graue saxum

Senis Aeolij,
Alitemque tuum dire Prometheu,
Audijt imo gemitus Erebo.
Excussasque graui mole catenas.
Hinc nunc tantis ferus exemplis,
Pectora gestat foecunda mali,
Qui modo nigrae regna Proserpinae
Tenebrasque Stygis fatumque tulit,
Nunc in poenas crudelis meas
Iterum uixit,
Inque hoc facinus Dite remenso
Longum ad superos molitur iter.
An mihi saltem uel umbra nocet?
An me uaecors odium populi
Post fata patris,
Audet tristi multare nece?
Cho. Non te populi furor, Antipater
Atque ira premit, non in poenas
Miserande tuas, inuida rupit
Tartara genitor, Ditisque lacus
Non remeabiles; non umbra tuum
Posthuma funus
Inimica petit: Lusit tecum
Fortuna leuis, quae modo misero
Spe fallaci, blando arrisit,
Iussitque animos efferre truces,
Eadem rebus nunc aduersis
Odio a fugit, facinusque tuum
Prodidit ingens.
Ant. Ergo spes est nulla salutis.
In mea dirus uulnera genitor

Animam seruat cupidam fati:
Solum hoc viuit ut noceat mihi:
Sed cur iusti fata parentis
Vicem incusem; Merui mortem
Merui demens

Iamb. sen. O blanda fallax subdolo vultu bonum
Fortuna, cur me sorte tam vulcra nocens
Hic extulisti, sanguine excelso editum.
Vtinam laterem natus obscuri laris
Securus inter rustici iuuenes greges.
Vtinam minores cesseras artus mihi.
Non affectassem proximum sceptris locum,
Nec concupissem, nimia spes turbes fouet
Dignitas, et iuris impatiens sui
Ambitio, nullum seruat audendi modum.
Heu quo labor, quo vota cecidere impia!
Potui beatus oneribus regni vacans,
Honore regni, et sorte sublimi frui.
Haeres parentis, liber inuidia et metu.
Nunc triste meritus ecce supplicium fero.

Anapest. dim. Herebi testor deforme Chaos,
Et stagna nigrae foeda paludis
Faecunda mihi, dierum q truces
Dominium regni: Non est istud
Mihi triste mori, Leuius fertur
Cum supplicium venit ex merito.
Trahite ad paenas queis data nostri

Copia læti, miseriq; patris
Peragat durus iussa satelles.

Doris. Chorus.
Antipater.

Iamb. sen. acat.

Quæ me per auras cælitus missam feret
Procella, vel Sphinx, aut avis Phinei rapax?
Atq; antevertat funeri Antipater tuo.
Sufficite miseræ cursibus matris pedes,
Sufficite vires. Video non tardo gradu
Procedere agmen impium, atq; vna meum
Post terga natum manibus astrictis trahi.

Iamb. dim. cat.

Cho. Quo nunc gradu furenti
Regina fertur amens?
Quo mente perdit ægra
Insana Doris? ardens
Atq; efferata luctu.
Complexa natum inhæret,
Nec verba, nec dolentum
Voces, nec eiulatus
Habet, graues q; questus.
Tantum silens dolore
Rigatur imbre vultus,
Et ora muta magnas
Intus premunt querelas.
Lacrimæ cadunt honestæ.

Heu quid dolor parentis
Faciat, amorq tristis,
Imb. Ex. Pectus q tenerae matris.
Dor. O nate, miserum matris afflictae decus.
Quo te grauis fortuna cruciandum trahit,
Quo chare pergis? Ant. ira quo patris iubet,
Meritumq nostrum, et vindices scelerum Dei.
Dor. Ergo per atri squallidos Ditis lacus
Iturus, heu me, perditam matrem fugis?
Ergo iuventae flore primaeuo occides?
Demessa qualis purpure virgineo rosa
Primo tabescit vere, quae nondum coma
Decora, totum vertice effudit decus.
Aut qualis igne tacta violenti Iouis
Abruta trunco quercus arenti cadat.
Ego misera de te magna speraui mihi,
Superba genitrix regio partu tumens,
Nunc versa labilis retro fortunae est rota,
Et cuncta luctu saeuus involuit dies.
Haec sceptra tua sunt, laetus hic regni dies,
Hoc auspicatum tempus, hoc decus imperi,
Haereditas haec est tua, hoc munus patris,
Haec pompa, talis, talis ex solium [illegible]tones.
O tristis uteri nostri et infelix labor,
Possum ne misera funeri orbari tuo?
Possum ne genitrix debitum natum neci
Spectare? Nec me flebili vita extraham
Modum q laeti quemlibet misera occupem.

Ant. Quem fata cogunt debitas pœnas feram.
Solusque moriar, tu parens nostri memor,
Ætatis habeas quicquid abscissum est meæ.
Dor. Cur me recusas flebilem comitem necis
Sociamque spernis? Ant. Solus ego merui mori,
Qui solus hausi pectore infami nefas.
Dor. Par causa tecum est mea, nam et ego merui mori,
Peperi nocentem, quicquid in te noxium est
Commune matri est. An. Mæror hic certe est tuus,
Sed culpa nostra est, sequitur authorem scelus.
Dor. Non te perempto, nostra tolerabit grauem
Vitam senectus orba. non unquam nisi
Tua mater ero, quicunque te casus manet
Hic me quoque manet; pignus hoc matris vides
Lachrimasque, et udas fletibus magnis genas.
Ant. Cur o dolores duplicas mater meos
Cumulumque nostris addis ingentem malis
Me quo volet fortuna cruciandum trahat
Et debeo pati, et possum; at ex me si tibi
Quid triste veniet, maius id rebor malum.
Dor. Mitte o querelas; non potest noster dolor
Superesse tanto funeri. Amplexus cape
Matris supremos, liberis paulum manus
Soluite, ego nati ut rursus amplexus feram.
O dulce matris pignus, o lapsæ ultimum
Domus leuamen, semper o insons mihi
Dolor future, vulnus et semper recens,
Cape lacrimas, cape oscula, et laceras comas
Plenusque matris vade, sed matris memor.

Cho. Magnus relegendo semel irritat dolor.
Regina, pone luctibus finem tuis.
Dor. Nunc ô dolor parentis æternum Vale
Antipater, iterum lachrimas matris cape,
Et oscula repetenda non unquam mihi.
An. Tuq. o parens voce suprema Vale.
Dor. O misera fata: solus hic uteri mei
Infaustus ecce rapitur exitio labor.
Fecunda, sed tantum in meos luctus fui.
Quo nunc senectæ flebiles annos feram?
Cui nunc relinquor? misera quò pergam parens?
Virum ne repetam? qui truci mente impotens
Commune natum pignus addixit neci.
Cho. Defecta subitò pectore infirmo labat
Recipite famulæ, et tecta in fastigia
Referte, ut animum lenis adspiret sopor.

CHORUS.

nap. dim. et mon.

Inuida magnis fortuna bonis,
Nunquam patitur regnare diu
Stabiliq. frui sorte beatos.
Tandem rebus tamen aduersis
Didicit longam firmare fidem,
Lentumq. ægrè transferre pedem:
Nec iam incerto inhibit orbe vagos
Lubrica gressus.
Nescit solis constare malis
Fortuna grauis. Raro emergunt
Quos decliui premit axe rota.

Rari emergunt, quos adversa
Torrente in bax imo mersit
Gurgite vertex. Rari emergunt.
Quos immersit fortuna salo.
Non nisi magnis comitata malis
Tristes intrat fortuna casas,
Semper miseros non una subit.
Quando infans ti domus Herodis
Poterit faciles sperare Deos,
Alia ex alijs damna fatigant.
Sequitur miseros fortuna gravis
Crescitq; mora; magis afflictos
Recidiva premit, cum iam fracti
Viribus aegri cecidere animi.
Equora ventis agitata diu
Magis exurgunt: Melius fertur
Nova tempestas. ô quam miserum est,
Quassam totus urbare domum.
Ante te primas miserande senex
Sensit iras fortuna suas,
Qui modo vitae cessit honorem
Incola magnae ferus Euphratis
Nunc te generi dabit ira neci.
Tu quoq; fratris presse insidijs
Lachrimande puer, gurgite sacro
Consumptus obis, magne Sacerdos,
Dolor ô populi, regniq; decus,
Qui vel lacrimas ferus ille dedit.
Unde infelix poterit fides
Sperare thoros, periture manu
Mariemma viri: tecum cecidit
Bonus et simplex ille minister.
Vos ô fortes animos ponite

Ponite iuuenes, non benè matris
Mortem ulcisci: Vos quoq; patris
Dabit ira neci.
Vltima causa est miserandæ tuæ
Subire grauem mortem Antipater,
Cuius sceleri Vetus omne nefas
Cessit, et æque iniuria famæ,
Petis a Pharij littore Nili
Triste venenum, succosq; sacros
Pocula misero seruata patri.
Felix subita morte Pherora,
Tantum in fratrem lucrate nefas,
Consors fraudis. Sed tua coniux
Experta graues toties pœnas
Regis et animos, ruit in præceps
Mox infelicio seruata graui
Sceleris socios confessa refert.
Vnde, o liberi, grauis hæc miseræ
Fortuna domus? Quo nunc sontes
Crimine tantas pendimus iras?
Tu nostrorum causa malorum
Cœlo ex alto demisse puer,
Rex Iudeæ, genus o diuum,
Cui nascenti seruijt æther,
Et vaga tibi sidera cœli,
Astraq; magni conscia partus,
Cui tot dulces animas Betleem
Infantum dedit: tu Memphitica
Nunc regna puer cum matre tenes.
Cur o miseri linquimus alta
Mænia Rhomæ, cur o miseri
Viuimus, turpes inter Atellas.
Fugite o ciues: nescio magnum

Gens ista nefas quod concipiet.
Huic debetur, populoque ingens
Urbique scelus.
Prius o vultus nox atra meos
Tellure premat, nec sim tanti
Consors sceleris.

ACTUS QUINTUS.

Nuntius. Herodes.

Iamb. se.

Caedis peractae lugubrem porto fidem.
Supremus ille sanguis Antipater tuus,
Dextra peremptus est sua, iussu tuo.
Her. Hostis paternus debitas poenas tulit.
Sed tu cruoris explica iussi ordinem.
Nun. Postquam prophanum Golgatha campum subit
Devotus ensi natus, et pressit gemens
Infame, et albens ossibus sparsis solum.
Ecce aderat ingens turba spectatrix necis
Elapsa muris, pars graves rerum vices
Miseraeque luget ultimam cladem domus.
Pars, sic perire gaudet invisum decus,
Stirpemque regis, magna pars vulgi levis
Miseretur et miratur et spectat nefas.
Nec te querelis populus intactum tulit,
Ille omne gentis imputat facinus tibi
Totiesque fusum sanguinem, hic meritos ait
Mori nocentes, sceleris in patrem reos.
Rumore vulgus mobile incerto fremit.
Et iam supremum mortis expectat iugum

Robore cruenta, et debitum cædi caput.
Cum subitò vates more Iudæo canens
Lugubre carmen incipit, superos vocans,
Facilesque cæsis sontibus poscens Deos.
Antipater inter hæc, moræ impatiens, tuus
Crudele ferrum prensat intrepida manu,
Astatque cædi: Tum facinus in te suum
Fratresque miseras, et graves scelerum vias
Abominatus, immodicos ictus parat.
Non hunc cruorem carnifex nostrum hauriat
Nullus que de me gloriam lictor ferat.
Mea litetur fratribus cæsis manu,
Placetque manes liberè effusus cruor.
Utinam sceleribus esset in pœnas satis
Hæc vilis anima: dixit, et ferro incubans
Ensem receptum pectore in tergum expulit:
Ingens hiante vulnere irrupit cruor,
Animaque statim saucios artus fugit.
Per omne vulgus magna lamentatio
Coorta subitò, et omnium vultus madent.

Her. O sera semper mentis admonitrix meæ
Natura, cur me scelere perfecto iubes
Deflere lacrimis noxium nati caput.
Miserrimum est odisse cum feceris nefas.

Nun. Cur innocentem temet excrucias miser.

Her. Nemo innocens est qui sibi videtur nocens.

Nun. Cum ecce triste adfertur in lacrimas tuas
Anima vacantis corporis spectaculum.

Her. Cur nunc pudore percutis mentem gravi
Iam lenta pietas? cur madent fletu genæ?
Cietque tardos irritus gemitus dolor?

Habeo ne lacrimas? ferreus numquid potest
Hic flere vultus? numquid hoc pectus gerit
Clementiam hominis? Quis graues misero mihi
Luctus ministrat? Poenitet, taedet, piget:
O nate miseri funus extremum patris,
O nate summum dedecus lapsae domus,
O merite mortem, non tamen iussu patris,
O orbitatis triste subsidium meae.
Quo nunc dolore durus exequias tibi
Miserque genitor, funere extremo feram.
Heu quam profundè pectoris clausa intimi
Resoluit ensis impius: Frustra miser
Parcente uulnus molliter tractas manu.
Non sentienti dextra cur parcit mea?

Ancilla. Chorus.
Herodes. Achiabus.

Ferte ô supremam rebus afflictis opem,
Adeste famuli. pendet excelsa trabe
Miseranda Doris, implicans laqueo gulam.
Cho. Miserabile peractum est facinus, indignum, horridum,
Crudele. Doris spiritum clausit grauem
Laqueo tenaci, et flebiles subit dies.
Anc. Nodum nefandum soluite, heu, placidè precor
Deponite artus, frigidum corpus riget
Faciemque verus mortis obduxit color.
Her. Eheu, quod istud est nefas, quid ego audio.
Aperite famuli claustra regalis domus.
Perimus, heu me, coniugis corpus meae
Exanime video. te scelus nostrum neci

Miseranda dedit, ego tuum natum abstuli
Commune pignus, te tuus rapuit dolor,
Pectusque verae matris, atque ingens amor.
Decreta misero fata cognosco mihi
Et me nocentem semper, et nunquam bene
Fusum cruorem: cecidit hic forsan mihi
Sine scelere, en maius sequitur ex hoc tamen
Novumque facinus, coniugem in nato abstuli;
Et bis sub una caede sum factus nocens.
Heu quos dolores genitor et coniux feram?
Quem flero statuam, cui prius lacrimas dabo.
Quid lacrimas? nunc maior exurgat dolor.
Tuque o minister impij dudum patris
Nostri cruoris debitos haustus cape,
Animamque fessam corpore infausto amove.
Cho. Aptavit ensem pectori en faciet nefas,
Probere furentis sistite insanum impetum.
Her. Quid hic rebellis turba molitur manus?
Quis ense dextram viduat, et cupidum
Crudelis inhibet? Lubricum solij decus
Et dira regni sceptra depono libens
Regnum mei retines. Redde ensem mihi.
Ach. Non reddo: meliorem recipe mentem tibi,
Et spiritum inimicum exue. Her. Infoelix ego
Cur inter ista funera et luctus vivo?
Negatur ensis, pectora infringam manu,
Mortemque nuda dextera infensus sequar,
Etiam fugacem: sed pigrae vires labant.
Nec pertinacis occupant animae moras.
O nate foelix, fateor invideo tibi
In fata matris nescius, aut similis comes

Misces querelas, inter et pigrum nemus
Securus erras, matris aut luctus leuas.
Ach. Augescit ingens flebili aspectu dolor,
Auferte gemini funeris luctum viri.
Her. Cur chara rapitis corpora? En amens sequar,
Addarque tristi funeri ingratus comes.
Non impediri morte cupientes queunt.
Patentue, semper ianua obscuri Stygis
Hiat patenti cardine, et cunctos vocat
Vrgente cliuo peruium ad manes iter.
Ditem undecunque adire cupienti licet.
Ingrata nil haec cura proficiet mihi
Laborque vester, mortis inveniam viam,
Animamque tardam carcere infausto extraham.
Omnis volentis facilis et prona est via.